THE SABBATH EPISTLE OF
RABBI ABRAHAM IBN EZRA

THE SABBATH EPISTLE OF

RABBI ABRAHAM IBN EZRA

('iggeret haShabbat)

TRANSLATED AND ANNOTATED BY

Mordechai S. Goodman

KTAV PUBLISHING HOUSE
Brooklyn, New York

Library of Congress Cataloging-in-Publication Data

Ibn Ezra, Abraham ben Meor, 1092-1167.
[Igeret ha-shabat. English]
The Sabbath epistle of Rabbi Abraham Ibn Ezra = 'Iggeret hashabbat/
translated and annotated by Mordechai S. Goodman.
    p.cm.
ISBN 978-1-60280-111-0
1. Calendar, Jewish. 2. Chronology, Jewish. 3. Day. 4. Time (Jewish law)
5. Astronomy, Medieval. 6. Bible. O. T. - Criticism, interpretation, etc. I.
Goodman, Mordechai S. II. Title.
  CE35.12613 2008
  529'.326 - dc22

                    2008034687

                  Published by
          KTAV PUBLISHING HOUSE
               527 Empire Blvd.
             Brooklyn, NY 11225
         www.ktav.com | orders@ktav.com
                (718) 972-5449

CONTENTS

ACKNOWLEDGEMENTS	VII
TRANSLATOR'S PREFACE	IX
AUTHOR'S PREFACE	1
INTRODUCTION	5
FIRST GATE: *On the Beginning of the Year*	9
SECOND GATE: *On the Beginning of the Month*	31
THIRD GATE: *On the Beginning of the Day*	37
APPENDIX A	47
APPENDIX B	65
ABBREVIATIONS	79
BIBLIOGRAPHY	81

HEBREW SECTION

הקדמת המחבר	ג
פתיחת האגרת	ז
השער הראשון: *בראשית השנה*	יא
השער השני: *בראשית החדש*	לא
השער השלישי: *בראשית היום*	לט

— A C K N O W L E D G E M E N T S —

I would like to thank the several libraries that allowed me to review their manuscripts, namely, Jewish Theological Seminary of New York, Bodleian Library of Oxford, Montefiore Library and British Library of London, and The Russian State Library of Moscow. I am also indebted to the Manuscripts Department and Institute of Microfilmed Hebrew Manuscripts of The Jewish National and University Library in Jerusalem for forwarding to me copies of the various manuscripts that I used, in particular Ms. Yael Okun and Ms. Zmira Reuveni.

My appreciation and admiration are extended to Mr. Bernie Scharfstein of Ktav Publishing House for his encouragement to pursue this project and for his enthusiasm in publishing this volume of Ibn Ezra's works. May he and his family be blessed for his kindness.

My deepest love and appreciation are reserved for my wife, Hadassah, and for our children and grandchildren. May the Almighty shower His blessings upon them and upon all Klal Yisrael.

— T R A N S L A T O R ' S   P R E F A C E —

Rabbi Abraham Ibn Ezra wrote *The Sabbath Epistle* (*'iggeret haShabbat*) as a response to an exegete's claim that a "day" of the Torah extends from dawn to dawn, rather than the traditional view of dusk to dusk. Ibn Ezra writes that this unorthodox view upset him to the point that he vowed to write "a lengthy letter explaining when the Torah's day begins." He expanded this letter into a treatise on the Torah's definition of a year, a month, and a day.

Ibn Ezra's arguments usually begin with a discussion of the relevant astronomical background. He then moves on to Scriptural and Talmudic sources. In his discussions he sometimes inserts tangential material, often to explain some passage from Scripture.

Ibn Ezra begins his *Epistle* with a narrative in which he describes the circumstances that led him to write his letter. Then follows the letter itself, divided into four parts: an Introduction and three Gates (*She'arim*). In his Introduction, Ibn Ezra outlines some basic astronomical facts regarding the revolutions of the planets and stars and the solar seasons. Gate 1 deals with the beginning of the Torah's year, Gate 2 with the beginning of the Torah's month, and Gate 3 with the beginning of the Torah's day.

THE HEBREW TEXT OF THIS EDITION

The Hebrew text of *The Sabbath Epistle* was published in full several times, under the title *'iggeret haShabbat*. Most notable are the editions of Dr. Shmuel David Luzzatto (*Kerem Chemed*, vol. 4, 1839, pp. 158–174) and Dr. Michael Friedlander ("Ibn Ezra in England," *The Jewish Historical Society of England, Transactions*, vol. 2, 1894–5, London, pp. 61–75). The introductory poem of the Sabbath was published by David Rosin in his *Reime und Gedichte des Abraham Ibn Esra* (vol. 2, pp. 78–79, number 50) and by Israel Levin in *Yalkut Avraham Ibn Ezra* (pp. 134–136).

The Hebrew text that I am presenting to the reader is based on the above two published versions, and also on the following manuscripts:

New York – Jewish Theological Seminary Library MS 2411,
New York – Jewish Theological Seminary Library MS 2321,
New York – Jewish Theological Seminary Library MS 2316
    (only through part of Gate 1),
Oxford – Bodleian Library MS Mich. 238,
Oxford – Bodleian Library MS Poc. 280B,
London – Montefiore Library 279,
London – British Library Add. 27038,
Moscow – Russian State Library MS Guenzburg 362,
Moscow – Russian State Library MS Guenzburg 338.

I also examined several other manuscripts that contained only Ibn Ezra's introduction.

The footnotes to the Hebrew text consist almost entirely of quotations from other works of Ibn Ezra, designed to expand, elaborate, and clarify the text. Ibn Ezra often repeated his ideas in his numerous writings, sometimes elaborating more in one place than in another. By examining his words in various places, the ideas and terms that he uses in the text at hand become more comprehensible. Also, by looking at his other writings, questionable passages may be corrected. In a few places I also quote from other medieval authors, in particular from Rabbi Abraham bar

Hiyya haNassi (= Savasorda, ca. 1065–1136) and from Rabbi Moses ben Maimon (= Maimonides, 1135–1206).

THE ENGLISH TRANSLATION

In the English translation I attempt, within reason, to adhere to a literal translation. However, I do not feel compelled to be very strict with this adherence, and at times I have rearranged the wording or added words in order to make the translation more comprehensible.

The footnotes to the translation are usually meant to: (1) clarify the text, (2) provide needed astronomical background, and (3) demonstrate the mathematical calculations implied in Ibn Ezra's results.

I also added two appendices to the translation, Appendix A on the solar cycle of Shmuel and Appendix B on the solar cycle of Rav Adda.

WHERE THE EVENTS DESCRIBED IN THE SABBATH EPISTLE TOOK PLACE

Most scholars are of the opinion that Ibn Ezra's dream, described in his preface, and the writing of his letter took place while Ibn Ezra resided in England.[1] This is deduced from his reference to "The Land at the Limit of the World" and various references to an island. Other scholars go so far as to assert that "in one of the cities of the island" refers to London.[2] The problems with these conclusions are: (1) Ibn Ezra usually refers to England by the name "Angleterra" (cf. *Sefer ha'ibbur*, p. 8b; also a colophon quoted by the editor of *Yesod Morah*, p. 21); (2) Ireland, rather than England, was more commonly known as "The Land at the Limit of the World,"

---

1. See Heinrich Graetz (*History of the Jews*, vol 3, p. 373), Michael Friedlander ("Ibn Ezra in England," *The Jewish Historical Society of England, Transactions*, vol. 2 (1894–5), p. 52), and Leo Fleischer ("Ibn Ezra and His Literary Work in England," *Ozar haHayim*, vol. 7 (1931), pp. 160–162),
2. See Graetz (*ibid.*) and Fleischer (p. 161).

and the reference might be to that island; (3) Dublin (53° 21′ N, 6° 15′ W) or another town in Ireland would conform better with Ibn Ezra's assertions that (i) "the sun rises there (Jerusalem) around four equinoctial hours before it rises on this island" (Gate 1) and (ii) "night on this island is only seven hours in duration" (*ibid.*), rather than London (51° 30′ N, 0° 3′ W). However, what makes the supposition that Ibn Ezra was in Ireland doubtful is the fact that we do not know of a Jewish community existing in Ireland in the twelfth century.

WHEN THE SABBATH EPISTLE WAS WRITTEN

Ibn Ezra's letter, which makes up the bulk of this book, is clearly dated: Saturday night, the fifteenth of *Tevet*, 4919 (corresponding to December 13, 1158 C.E. in the Georgian calendar). However, the letter seemed to have been edited and a preface added at a later date. This seems clear from his words "I…was in one of the cities of the island." Moreover, those words imply that he was no longer residing on that island when he compiled this book. Friedlander (p. 55) notes this fact and concludes that the book, as we have it, was written "some time after the event and somewhere far from England." Fleischer (pp. 160–162) disagrees with this view and is of the opinion that the entire *Epistle* was compiled while Ibn Ezra resided in England.

WHY THE SABBATH EPISTLE WAS WRITTEN

Ibn Ezra informs us that what compelled him to write his treatise on the Torah's day, month, and year, was a volume of exegesis that he received. In that volume he found an interpretation of several verses in Genesis which would lead one to conclude that the Hebrew day began with dawn. Ibn Ezra is discrete and does not identify the author of that interpretation. Graetz (p. 374) notes that this interpretation was propounded by Rabbi Samuel ben Meir (Rashbam), and indeed we find in the Rashbam's *Commentary to the Pentateuch* (Genesis 1:5) the following:

"ויהי ערב ויהי בקר. אין כתיב כאן 'ויהי לילה ויהי יום' אלא 'ערב',
שהעריב יום ראשון ושיקע האור. 'ויהי בקר', בוקרו של לילה, שעלה
עמוד השחר. הרי הושלם יום אחד מן הששה ימים שאמר הקדוש בעשרת
הדברות, ואחר כך התחיל יום שיני, 'ויאמר אלהים יהי רקיע'. ולא בא
הכתוב לומר שהערב והבקר יום אחד הם, כי לא הוצרכנו לפרש אלא
היאך היו ששה ימים, שהבקיר יום ונגמרה הלילה, הרי נגמר יום אחד
והתחיל יום שיני".

"'There was dusk and there was dawn.' It is not written, 'There
was night and there was day.' Rather, 'dusk,' the first day dark-
ened and the light subsided, 'and there was dawn,' a lighting
of the night with the appearance of the morning rays. Thus
concluded the first day of the six days that the Holy One cited
in the Ten Commandments. After that the second day began,
'The Lord said, Let there be a firmament.' The verse's intent
is not to inform us that dusk and dawn constitute a day;
rather, how one accounts for six days [of Creation]. When
day dawned and the night ended, the first day concluded and
the second day began."

He continues in his commentary to verse 8:

"ויהי ערב ויהי בקר יום שני. שנטה היום לערוב ואחר כך ויהי בקר של
יום שני, הרי נגמר יום שני משש ת הימים שאמר הקב"ה בעשרת הדברות,
והתחיל עתה יום שלישי בבקר".

"'There was dusk and there was dawn, the second day.' The
day began to darken and afterward came dawn of the second
day, thus completing the second day of the six days that The
Holy One, blessed be He, cited in the Ten Commandments.
Now the third day began at dawn."

Finally, commenting on verse 31 he writes:

"ויהי ערב ויהי בקר, אז נגמר יום הששי".

"There was dusk and there was dawn, ending the sixth day."

However, Rashbam forewarns the reader with the remark (to verse 14):

"מצאת הכוכבים עד צאת הכוכבים יום אחד".

"One day extends from the appearance of the stars until the [subsequent] appearance of the stars."

Thus Rashbam is in accord with the traditional view that the *Halachic* day extends from nightfall to the following nightfall.

Dr. Samuel Poznanski (*Introduction to the French Exegetes*, p. 43) disagrees with those who claim that Ibn Ezra's criticism was directed against Rashbam, and he concludes that Ibn Ezra was referring to the various heretics who claimed that indeed the Sabbath began with dawn.

Friedlander (pp. 54–55) theorizes that the unsettling comment was found in writings of Ibn Ezra's own students which they had given him to review. This seems unlikely, for if that were the case he would not have threatened the author with such violence: "the arm of the scribe who writes this commentary to Scripture should wither and his right eye weaken." Furthermore, Ibn Ezra mentions (commentary to Exodus 16:23) that "many" accepted the interpretation that the day begins with dawn, and it was not limited to a single group. In my opinion there were numerous commentators who professed the same view and Ibn Ezra did not find it necessary to identify the author of the particular volume that he came across.

שבח והודיה לה' על חסדו הגדול שנתן חלקי להתעסק בספרי ראב"ע והחייתני להוציא מהדורה זו של אגרת השבת.

Mordechai S. Goodman
23 Sivan, 5768
Lakewood, NJ

─ AUTHOR'S PREFACE ─

It was mid Friday night, the fourteenth day of the month of *Te-vet*, in the year 4919,[1] I, Abraham the Spaniard, known as "Ibn Ezra,"[2] was in one of the cities of the island that is called "Edge of the Earth,"[3] which is in the seventh zone of the inhabited zones of the earth.[4] I was asleep and my sleep was sweet to me. I dreamt that what appeared to be a man stood before me with a sealed letter in his hand. He spoke up and said to me: "Take this letter that the Sabbath sends you." I prostrated myself and bowed before God and I blessed the God who gave us the Sabbath for honoring me so. I took hold of the letter with both my hands and my hands dripped with myrrh. I read the letter and it was sweet as honey to my mouth. However, as I read the last lines my heart became

---

1. Corresponding to Saturday, December 13, 1158 C.E. (Gregorian calendar).
2. "Ibn Ezra" was a family name; the name of Rabbi Abraham Ibn Ezra's father was Me'ir.
3. See Preface.
4. The ancients divided the inhabited portion of the earth (the northern hemisphere), into seven zones, from south to north. The seventh zone is the northern-most zone, in which England lies.

agitated and my soul almost failed me. I asked the one who stood before me: "What is my iniquity and what is my sin? From the day that I knew the revered God who created me, and I learned his commandments, I have always loved the Sabbath. I would go out to greet her with a full heart even before she arrived, and I would send her forth when she departed with joy and song. Who among her servants is as faithful as I? Why did she send me this letter?" It read as follows:

"I am Sabbath, the crowned law for the dear ones, fourth of the Decalogue. I am a sign of an eternal covenant between God and his children. With me the Lord concluded all of his tasks, as it is written in the first of the books (Genesis). Manna did not fall on the Sabbath day in order that I serve as a sign for forebearers.[5] I am a joy for those living on earth and tranquillity for those who dwell in graves.[6] I am a pleasure for both male and female; old and young rejoice in me. Mourners do not mourn in me nor eulogize the death of the righteous. Male-servant and maid-servant find quiet in me, and the strangers who are within the gates. All domesticated animals rest, as horses, donkeys and oxen. Every intelligent person sanctifies me over wine, the lowly perform the *Havdala* service as do Nazarites. Gates of understanding exist on any day, but on my day a hundred gates are opened. My day is honored by not traveling, seeking one's needs, nor speaking words. I protected you all the days so that you would carefully observe me from the days of your youth. In your old age a fault has been found in you, for books were brought into your house in which is written to profane the seventh night. How do you remain silent and not vow to compile letters of truth and send them in all directions."

---

5. A sign of the sanctity of the Sabbath.
6. Even the dead rest on the Sabbath (*Bereshit Rabba* 11:5).

The messenger of the Sabbath responded and said to me: "She was told that yesterday your students brought books of Biblical exegesis into your house in which is written to violate the Sabbath. Therefore, gird yourself on behalf of the Sabbath's honor to fight the Torah's battle with Sabbath's enemies. Do not favor any person."[7]

I awoke with my spirit pounding within me and my soul very troubled. I arose and my anger burned within me. I dressed, washed my hands, and took the books outside to the moonlight. There was written the following interpretation for the verse "there was evening and there was morning" (Genesis 1:5): "With dawn of the second day one full day ended, for nighttime follows daytime."[8] I almost tore my garment and also that commentary, saying: "It is better to violate one Sabbath so that Israel will not violate many Sabbaths,[9] if they should see this evil interpretation. We would also all be a mockery and a scorn in the eyes of the uncircumcised (Christians)." However, due to the honor of the Sabbath I restrained myself.

I vowed that I would not allow sleep for my eyes after the conclusion of the holy day until I wrote a lengthy letter explaining when the Torah's day begins, thereby removing a stumbling block, a snare and a trap. For all of Israel, both the Pharisees (followers of the Rabbis) and the Sadducees (Karites), know that the only reason for writing the portion of Creation relating God's actions each day is so that adherents of the Torah will know how to observe the Sabbath. They should rest as revered God rested, counting the days of the week. Now, if the sixth day ended with the morning of the seventh day, we should observe the following

---

7. Do not refrain from voicing your opinion out of respect for the authority or scholarship of the author of this harmful interpretation.

8. According to this interpretation, a 24-hour day extends from dawn of one day until dawn of the follow day. So the Sabbath would begin at dawn of the seventh day and conclude with the following dawn.

9. "The Torah teaches us that it is better for one to violate a single Sabbath in order that he may observe many Sabbaths" (*Yoma* 85b).

night (Saturday night). This interpretation will mislead all of Israel, those in the east and those in the west, those near and those far, both the living and the dead. God should avenge the Sabbath from one who believes this disturbing interpretation. The tongue of one who reads it aloud should cleave to his palate. Also the arm of the scribe who writes this commentary to Scripture should wither and his right eye weaken.

Thus begins the letter:

INTRODUCTION

There is no disagreement among astronomers that there are two great circles (the celestial equator and the ecliptic).[10] These are the outer circles, of which one is concentric with the earth.[11] They intersect at two points (the equinoctial points), and from there

---

10. In the geocentric system of Ibn Ezra there are seven spheres that encompass the earth, each containing a planet; an eighth sphere, the "zodiacal sphere," containing the zodiac and the fixed stars; and a ninth sphere, the "diurnal sphere," which rotates all of the lower spheres from east to west in 24 hours. The ecliptic is a path through the zodiac and it is the projection of the sun's path on the zodiacal sphere. The celestial equator is the projection of the earth's equator on the diurnal sphere and lies midway between the celestial poles.

11. The diurnal sphere has as its center the center of the earth. The ecliptic is the projection of the sun's path upon the zodiacal sphere, and, although the zodiacal sphere is concentric with the earth, however the sun's sphere is eccentric with its center some distance from the earth's center. (It seems to me that there is a scribe's error here, and the text should read "the center of the earth is the center for each," referring to both the zodiacal sphere and the diurnal sphere.)

they diverge, one (the ecliptic) bending south and also north approximately two fifths of one sixth of the sphere.[12]

One revolution, which includes all the spheres, is from east to west. The twelve zodiacal constellations[13] complete a revolution in twenty-four hours,[14] and the seven planets[15] also finish their revolutions in approximately the same amount of time. The second revolution is from west to east. It also includes all of the spheres, for the poles of the spheres of the planets are similar to the poles of the zodiacal sphere.[16] Only the sun maintains the path of the ecliptic, not deviating south nor north. It traverses the complete zodiac in 365 days, five hours, and fractions of an hour. This is a solar year and the true year, for the days return a second time to what they were in the preceding year. For this reason a year is called "*shana*" (repetition).

Since the sun inclines north and south, the year is divided into four seasons, namely "winter and spring and summer and autumn" (Genesis 8:22). For "planting" is the half year when the sun is in the southern signs (autumn and winter), and "reaping" is when the sun is in the northern signs (spring and summer).[17]

---

12. $2/5 \times 1/6 \times 360° = 24°$. This angle, called the "obliquity of the ecliptic," is defined as the angle between the plane of the ecliptic and the plane of the equator. The modern value for the obliquity of the ecliptic is approximately $23°26'$.

13. The order of the zodiacal constellations and zodiacal signs is: Aries, Taurus, Gemini, Cancer, Leo, Virgo, Libra, Scorpio, Sagittarius, Capricorn, Aquarius, and Pisces.

14. This is known as a "sidereal day," which is the interval between two successive passes of the vernal equinox point over the meridian. A sidereal day is slightly less (by about four minutes) than a "solar day," the interval of time between two successive passes of the sun across the meridian. Apparently Ibn Ezra used sidereal time rather than solar time.

15. The seven planets known at that time are: Moon, Mercury, Venus, Sun, Mars, Jupiter, and Saturn.

16. All of the lower eight spheres that contain the planets and the fixed stars rotate at various rates around the earth from west to east.

17. The verse reads: "Forever, all the days of the earth, planting and reaping, and winter and spring and summer and autumn, and day and night, shall

The verse began with the winter days. This season commences when the sun is at its southern extremity (winter solstice). Then the days begin to lengthen and the nights to shorten. This season has cold and wet days. When the sun reaches the point of intersection (vernal equinox), then day and night are equal throughout the earth. This season (spring) has hot and wet days. From its commencement the days begin to be longer than the nights, for the sun bends towards the north. This season ends when the sun reaches its northern extremity (summer solstice). Then the next season (summer) begins. The sun recedes from the north and the days begin to shorten and the nights to lengthen. These days, which are the days of summer, are hot and dry. When the sun reaches the second point of intersection (autumnal equinox) the day and night are of equal length. From then on the days begin to be shorter than the nights, which grow longer. This season (autumn) has cold and dry days. Since the summer and autumn seasons are dry, Scripture states "this will be in summer and in autumn" (Zachariah 14:8).[18] For at those times the rivers diminish, except for the Nile which originates from springs in the Mountains of the Moon to the south.[19]

So the annual seasons are dependent on the sun; similarly the daily seasons.[20] The truth is that the planets do not have the ability to affect the sun's actions, only to add or diminish heat or cold. For the sun's action is equivalent to the actions of all the

---

not cease" (Genesis 8:22). Ibn Ezra understands that four of these terms refer to the four seasons, while "planting and reaping" is an alternative division of the year into two halves, when the sun is in the southern signs and when it is in the northern signs. See Ibn Ezra's commentary to that verse.

18. The verse reads: "It shall be on that day that fresh water will come forth from Jerusalem, half flowing to the eastern sea and half to the western sea, this will be in summer and in autumn."

19. The Mountains of the Moon are a mountain range in central Africa. They were believed to be the source of the White Nile.

20. The day is divided into quarters just as the year is. See the beginning of Gate 3.

others, since it is the largest created body,[21] it is closest to the earth,[22] and it rules over daytime.

Since the year consists of months, and the month is dependent on the moon, the smaller luminary, therefore I divided this letter into three gates: the first concerns the beginning of the Torah's year; the second, the beginning of the Torah's month; and the third, the beginning of the Torah's day.

---

21. Scholars then believed that the sun was the largest created body in the universe.
22. There was discussion among medieval astronomers regarding the relative distances of the sun, Mercury, and Venus from the earth. Here Ibn Ezra accepts the view that, besides the moon, the sun is closer to earth than all other planets and stars.

FIRST GATE

On the Beginning of the Year

Eastern scholars[1] said that the solar year has an excess of $\frac{1}{120}$ of a day, beyond the ¼ of a day that is in addition to the number of full days (365).[2] Persian scholars said that the excess is $\frac{1}{115}$ of a day.[3] Chaldean scholars said that the excess is $\frac{1}{170}$ of a day.[4] Greek scholars said that the solar year is deficient by $\frac{1}{300}$ of a day from ¼ of a day.[5] Recent scholars, and they are many, said that the deficiency is $\frac{1}{106}$ of a day;[6] others say $\frac{1}{110}$ of a day.[7]

Both those who add and those who subtract are close to the

---

1. These are Hindu scholars (commentary to Leviticus 25:9).
2. Thus a solar year is $365 + \frac{1}{4} + \frac{1}{120}$ days, or 365 days, 6 hours, and 12 minutes, approximately 365.2583 days.
3. According to the Persian scholars a solar year is $365 + \frac{1}{4} + \frac{1}{115} \sim 365.2587$ days.
4. $365 + \frac{1}{4} + \frac{1}{170} \sim 365.2559$ days.
5. $365 + \frac{1}{4} - \frac{1}{300} \sim 365.2467$ days. This value for the solar year was obtained by Hipparchus about the year 135 B.C.E. (*Almagest* III, 1, p. 137; see Evans, p. 209).
6. These are certain Arab scholars (*Sefer haMoladot*, p. 240). According to their calculations a solar year is $365 + \frac{1}{4} - \frac{1}{106} \sim 365.2406$ days.
7. Other Arab scholars (*Sefer haTa'amim* II, p. 44). Thus a solar year is $365 + \frac{1}{4} - \frac{1}{110} \sim 365.2409$ days.

truth. According to those who add, a year is relative to a point on that sphere whose center is distant from the earth's center.[8] Such a year is approximately the span of time from the conjunction of the sun with a fixed star to its conjunction a second time.[9] The correct excess is $\frac{1}{150}$.[10] This is a year as defined by astrologers. According to those who subtract from ¼ of a day, a year is relative to a point of intersection of the two great circles (an equinoctial point), or when the sun is at its farthest point [north or south] (a solstitial point).[11] This is the year that is needed for all people.[12] The defect is approximately $\frac{1}{130}$ of a day.[13]

The disagreement arose due to the movement of the fixed

---

8. That is, from a point on the solar sphere. The sun's sphere is eccentric with its center slightly removed from the center of the earth. This opinion for the length of a solar year is that of the Persian scholars (*Shalosh She'elot*, p. 2). Such a year is called an "anomalistic year," and is defined (geocentrically) as the average interval between successive passes of the sun through its perigee (the point in the sun's orbit that is closest to earth). The current approximation for an anomalistic year is 365 days, 6 hours, 13 minutes, and 53 seconds, or 365.2596 days.

9. This was the view of the Hindu scholars (*Shalosh She'elot*, pp. 1–2). Such a year is called a "sidereal year," and is defined as the time required for the sun to complete one revolution around the earth, measured relative to the fixed stars (sidereal). The current approximation for such a sidereal year is 365 days, 6 hours, 9 minutes, and 9 seconds, or 365.2564 days.

10. According to Ibn Ezra a sidereal year is $365 + \frac{1}{4} + \frac{1}{150} \sim 365.2567$ days.

11. This is a year according to Greek and Arab scholars. Such a year is called a "tropical year" (or "equinoctial year"), and is defined as the interval of time between successive vernal equinoxes. This period of time is currently approximated as 365 days, 5 hours, 48 minutes, and 46 seconds, or 365.2422 days.

12. The equinoxes and solstices determine the seasons for agriculture and all weather related endeavors. Thus if one of the larger values was used for a solar year, over time the seasons would drift, occurring later and later relative to an agricultural based calendar, and leading to confusion among the population.

13. According to Ibn Ezra, a tropical year is $365 + \frac{1}{4} - \frac{1}{130} \sim 365.2423$ days. In *Sefer haMoladot* (p. 241), Ibn Ezra sets the value for a tropical year as 365 days, 5 hours, and 49 minutes, approximately 365.2424 days.

stars in their sphere.[14] For the ancients said that this movement is one degree in a hundred years;[15] later scholars said in 66 years;[16] some say in 70 years.[17] The instruments for examination are only approximate, for it is not humanly possible to divide the degrees into seconds. Also, some say that at the two equinoctial points there are two small circles, therefore the motion sometimes advances and sometimes recedes.[18] Thus no one knows the exact length of a solar year. I now return to investigate a year according to the Torah.

---

14. The fixed stars appear to revolve slowly from west to east about the poles of the ecliptic. This revolution is called "precession." Because of precession, the sun must travel a little farther to return to the same star position than to return to the same equinoctial point. Hence a sidereal year is slightly longer than a tropical year. There is disagreement as to the rate of precession, which in turn leads to the disagreement as to the length of a sidereal year.

15. This is the rate given by Ptolemy in *Almagest* VII, 3 (p. 338). Assuming that a tropical year is 365.2422 days, the length x of a sidereal year would follow from the proportion $360.01 \div 360 = x \div 365.2422$, or $x \sim 365.2523$ days.

16. This rate was given by the ninth-century Arab astronomer Al-Battani (Evans, p. 275). Hence a sidereal year is $(360 + \frac{1}{66}) \div 360 = x \div 365.2422$, or $x \sim 365.2576$ days.

17. This rate was given by another ninth century Arab astronomer, Ibn Yunus (Evans, p. 279). So a sidereal year is $(360 + \frac{1}{70}) \div 360 = x \div 365.2422$, or $x \sim 365.2567$ days. The currently accepted rate of precession is about one degree in 72 years, or 50 seconds per year. This would set a sidereal year at approximately $(360 + \frac{1}{72}) \div 360 = x \div 365.2422$, or $x \sim 365.2563$ days (see note 9).

18. This refers to the system of Thabit ibn Qurra (ca. 824–901 C.E.) and his "Theory of Trepidation." This theory was meant to explain two phenomena: (1) a decrease in the obliquity of the ecliptic, and (2) a variability of the rate of precession. The idea was that the ecliptic rotated on two circles at the equinoctial points in the sphere of fixed stars, causing the stars to advance ("accession") or recede ("recession") with respect to the equinoxes. For a full explanation of trepidation see Evans, pp. 274–280.

Judah the Persian[19] said that the years used by Israel were solar years, because he found the festivals were on fixed dates: Passover when the barley ripens (Exodus 34:18), Pentacost at reaping time (*ibid.* 34:22), and Tabernacles at harvest time (Deuteronomy 16:13). However, what can be done since Moses did not specify the length of a year?[20] Also, how will he explain the use of the Hebrew term "*hodesh*" (new) for "month," for what is renewed relative to the sun? The uncircumcised (Christians), because their years are solar years and they found that a full year contains twelve lunations, divided the days of the year into twelve parts, for this number is closest to the number of lunar months. The result is that some months are 30 days and some months are 31 days.[21]

Judah the Persian also said that the years referred to in the story of Noah were solar years, since he found that the Deluge commenced "in the six-hundredth year of Noah's life" (Genesis 7:11), and it subsequently states "in the six-hundredth and first year" (*ibid.* 8:13).[22] For this reason an additional ten days were added to the number of months,[23] for this number is approximately the excess of a solar year over a lunar year.[24] But this figure

---

19. Mentioned by Ibn Ezra in his *Commentary to the Pentateuch* and elsewhere. Nothing is known of this scholar. (See *Encyclopedia Judaica*, second edition, vol. 11, p. 505.)

20. Since the Bible does not specify the exact length of a solar year, the Karites are left with the matter being undecided. This will also affect determination of the festivals.

21. Here Ibn Ezra accounts for the division of a year into twelve parts, even if one uses a solar calendar. However, the term "*hodesh*" would not be appropriate for such solar months.

22. The duration of the flood is measured relative to the age of Noah, and a person's age is based on solar years, as are all living things (cf. note 69). Therefore the years referred to in the story of Noah must be solar years.

23. The Deluge commenced on the seventeenth day of the second month (Genesis 7:11). The earth dried and Noah exited the Ark one year later on the twenty seventh day of the second month (*ibid.* 8:14). Thus Noah remained in the Ark one full year and an additional ten days.

24. A solar year is approximately 365 days while an ordinary lunar year (12 months) is approximately 354 days, a difference of about eleven days.

contradicts Judah the Persian's own words, since he now admits that a month is based on the moon. He also said that the Ark came to rest after five months,[25] a total of "one hundred and fifty days" (*ibid.* 8:3).[26] Because of this problem, the Gaon (Rabbi Saadia)[27] was forced to set *Tishre* as the beginning of Noah's years.[28] But this is not necessary,[29] for even according to the months of a solar year (1/12 of 365 days), the count would be two days longer than what is recorded in Scripture.[30] Even if Noah counted by solar years, it would be of no consequence.[31] Hence, we must search for the

---

25. The rain began on the seventeenth of the second month (Genesis 7:11) and the Ark came to rest on Mount Ararat on the seventeenth of the seventh month (*ibid.* 8:4), a span of five months.

26. From this Judah the Persian again derived that the years enumerated in the Noah story are solar, because in a lunar calendar five months would consist of approximately $5 \times 29.5 = 147.5$ days, less than 150 days.

27. Rabbi Saadia ben Yosef Al-Fayyumi (892–942) was Gaon of the academy at Sura.

28. Rabbi Saadia Gaon disagreed with Judah the Persian and was of the opinion that the months recorded in the Noah story were lunar months. To resolve the seeming contradiction between five months and 150 days, Rabbi Saadia said that the months used in the story of Noah were numbered from *Tishre*, and the year of the Deluge was a leap year with *Marheshvon* and *Khislev* both full months. Hence we have 14 days of *Marheshvon*, 30 days of *Khislev*, 29 days of *Tevet*, 30 days of *Shevat*, 30 days of *Adar I*, and 17 days from *Adar II*, a total of exactly 150 days. In his *Alternative Commentary to Genesis* (7:11), Ibn Ezra criticizes Rabbi Saadia's solution by claiming that a year cannot have so many consecutive full months of thirty days.

29. Such a solution is not necessary to counter Judah the Persian.

30. $5 \times (1/12 \times 365) = 152+$ days, more than the 150 days stated in Scripture. Ibn Ezra's resolution of the seeming contradiction (150 days verses five months) is given in his *Alternative Commentary to Genesis* (7:11): The months in the story of Noah are solar, but based on a calendar similar to that of the Egyptians, where eleven months of the year are thirty days long and one month has 35 days. So five standard months would be $5 \times 30 = 150$ days.

31. It is of no importance how Noah calculated the year, for our laws are based on the teachings of Moses.

Torah's year from Moses (the Pentateuch) or from the holy scribes (the Rabbis). We will begin with them.

We find the solar cycle of Shmuel[32] to be exactly 365¼ days, not more nor less.[33] In his days that was close to the truth,[34] and he cited a figure appropriate for his students. He did a similar thing in a *Bereita*,[35] where, in calculating the mean lunar month, he did not include the 73 *halaqim*[36] which are in addition to ⅔

---

32. A scholar of the Talmud (*'amora*) who lived around 300 C.E. in Neharde'a, Babylonia. Shmuel was well acquainted with astronomy and declared "The paths of the heavens are as clear to me as the paths of Neharde'a" (*Berachot* 58b).

33. Shmuel said that each of the four seasons is 91 days and 7.5 hours (*'eruvin* 56a). Thus a solar year consists of 365 days and 6 hours.

34. Although Shmuel's solar cycle is excessive, relative to the currently accepted value of a solar year, by about one day every 128 years (see Appendix A), however, Shmuel also set the first (virtual) vernal equinox at the time of Creation about seven days before the accepted date. Hence, at the time of Shmuel the discrepancy in his approximation of the vernal equinox (and hence of the solar calendar) and the actual vernal equinox was not great. To see this we calculate (see Appendix A): Shmuel lived around the year 4010 Anno Mundo (A.M.) (250 C.E.), the first year of the 212th *mahzor*. Multiplying the character of a *mahzor* by 211 (the number of past *mahzorim*), we obtain 211 × (1 hour, 485 *halaqim*) = 12 days, 17 hours, and 815 *halaqim*. Subtracting the starting interval of 7 days, 9 hours, and 642 *halaqim*, we have the span between *molad Nisan* and the vernal equinox for the year 4010 of approximately 5 days. So according to Shmuel, the vernal equinox took place about the fifth of *Nisan*, which corresponds with March 25, 250 in the Gregorian calendar. This is quite close to the true vernal equinox (March 21).

35. See *Bereita of Shmuel*, ch. 5 (p. 29). Apparently Ibn Ezra is of the opinion that the author of *Bereita of Shmuel* was the *'amora* Shmuel, the same scholar quoted in the Talmud regarding the seasons.

36. One *heleq* (part) is ¹⁄₁₀₈₀ of an hour. We have the following conversions:

    1 hour (h) = 1080 *halaqim* (p),

    1 minute (m) = 18p,

    1 second (s) = 0.3p.

    Also 1 *heleq* is 3 and ⅓ seconds.

of an hour.[37] It is also written that there are two cycles, the cycle of Rav Adda[38] in private and the cycle of Shmuel in public. The reason that Rav Adda's figure was in private was because of prognostications, lest their scholars know the true cycle.[39]

Today Shmuel's cycle is not correct.[40] The daily shadow in each place is positive proof for the scholar.[41] Also it is written "If you see that the winter season extends until the sixteenth of *Nisan*, do not hesitate to intercalate that year" (*Rosh haShana* 21a). Now, according to Shmuel's calculation, last year (4918) spring began on the 25th of *Nisan*.[42] So we transgressed the words of our Sages. Heaven forbid! We certainly observed the holiday in its correct time. Thus the cycle of Rav Adda is more exact than that of Shmuel, for the beginning of spring will not go beyond the given date (16 days in *Nisan*).[43]

---

37. According to the Talmud, a mean lunar month consists of 29 days, 12 hours, 40 minutes, and 73 *halaqim* (*Rosh haShana* 25a). In the *Bereita of Shmuel* the 73 *halaqim* are omitted.

38. Rav Adda bar Ahava, a third-century Babylonian *'amora*. He composed a treatise on the calendar titled *Bereita deRav Adda*.

39. If unscrupulous astrologers would know the true solar cycle, they might use the information for nefarious purposes. (See *Sefer ha'ibbur*, p. 6b.)

40. In the year 4919, the year that Ibn Ezra wrote *The Sabbath Epistle*, the vernal equinox according to Shmuel should have been April 1, about ten days later than the true vernal equinox (see Appendix A, Table 7). Thus, referring to the vernal equinox for the year 4918, Ibn Ezra writes: "Even the simplest of simpletons can see that the day and night were equal close to eleven days ago" (*Ha'ibbur*, p. 8b).

41. Thus for example, at the time of the winter solstice it is easily observed that the true solstice does not coincide with Shmuel's calculation. A sundial would be useful for these observations.

42. See Appendix A, Table 7.

43. See Appendix B, Table 5. In *Sefer ha'ibbur* (p. 3b), Ibn Ezra sets Rav Adda's figure for a tropical year as 365 days, 5 hours, 997 *halaqim*, and 48 *rega'im* (secondary parts, s), where 76 *rega'im* constitute one *heleq*. This is equivalent to 365 days, 5 hours, 55 minutes, and 25 + $^{25}/_{57}$ seconds, approximately 365.2468 days. This value is obtained by equating 19 tropical years to 235 mean lunar months. 235 months calculates to 6939d, 16h, 595p. Dividing by 19, we arrive at Rav Adda's figure. (See Appendix B.) This same figure

Today we do not need to know the solar cycle in order to set the holidays.[44]

Also, Shmuel's figure contradicts the fixed calendar. For according to his calculation there remains in each *mahzor* (nineteen year cycle) one hour and 485 *halaqim*.[45] However, by right not even one *heleq* should remain, for then you will not have a complete *mahzor*. In addition, all scientists agree that 19 solar years is

---

is given by Maimonides in *Mishne Torah*, Laws of Sanctification of the New Moon 10:1. Note that earlier Ibn Ezra set a tropical year at approximately 365.2423 days (see note 13).

Summarizing, we have the following opinions for the length of a tropical year:

Shmuel: 365.25 days (exact),

Rav Adda: 365.2468 days (rounded off),

Ibn Ezra: 365.2423 days (rounded off),

Current value: 365.2422 days (rounded off).

Thus Shmuel's cycle differs from the currently accepted approximate value by 0.78 day per century, or about ¾ of a day per century. Rav Adda's figure differs from the currently accepted approximate value by about 0.46 day per century, or about ½ day per century. So it is difficult to understand why Ibn Ezra is so critical of Shmuel's cycle and not that of Rav Adda. At the time of Ibn Ezra (4919), Rav Adda's cycle had fallen behind by over 22 days; Shmuel's cycle had fallen behind by over 38 days. Note that Ibn Ezra's figure differs from the currently accepted figure by less that ½ day over the 49 centuries since Creation. Also, looking at Table 6 of Appendix B, we see that Rav Adda's date for the vernal equinox differs from the true current vernal equinox by about seven days.

44. We use a fixed calendar in which the holidays are set.

45. In 19 solar year, Shmuel's figure gives us 19 × (365d, 6h) = 6939d, 18h. Also, in one *mahzor*, the Hebrew calendar (*'ibbur*) contains 12 "ordinary" years of 12 lunations and 7 "embolismic" years of 13 lunations, a total of 235 lunations. Each lunation is 29d, 12h, 793p. Thus 235 lunations is 6939d, 16h, 595p. So the difference between Shmuel's cycle and the calendar is 1 hour and 485 halaqim per *mahzor*, approximately 0.0604 day per *mahzor*. This comes to about 0.0032 day per year, or 0.32 day per century. This is the difference between Shmuel's cycle and that of Rav Adda.

equal to 235 lunar months.[46] That is the reason for having seven embolismic years. But today, as a result of the excess, there has accumulated approximately one-half month.[47] Perhaps those who love Shmuel's cycle will tell us what we should do with them.

Also, he divided the year into four seasons of equal length.[48] This is true in the solar sphere, but it is not true relative to the zodiacal sphere, since the sun's speed changes depending if it is closer to or farther from its apogee.[49] There are over 94 days and many hours from the moment of vernal equinox, which begins the spring season, until the sun is at the extreme north (summer solstice), which is the beginning of the changeable sign,[50] for then the season ends and we have the longest day. The second season (summer) is approximately the same number of days. The two

46. Based on current approximations, 19 tropical years do not equal exactly 235 lunar months. 19 tropical years totals $19 \times 365.2422 = 6939.6018$ days. 235 lunar months is $235 \times (29d, 12h, 793p) = 6939.6896$ days, a difference of 0.0878 day per *mahzor*. Over a century this would amount to a difference of almost one half day.

47. In the year 4919, 258 *mahzorim* and an additional 16 years had passed since Creation. Each *mahzor* has an excess of 1h, 485p. Thus 258 *mahzorim* would give an excess of $258 \times (1h, 485p) = 15d, 13h, 930p$, or approximately ½ month.

48. Shmuel set each season at 91 days and 7½ hours (*'eruvin* 56a).

49. The ancients believed that the sun orbited the earth at a constant speed. However, since the center of the sun's sphere differed from the earth's center, the speed of the sun varied relative to an observer on earth. This apparent variation in speed is known as the "solar anomaly." The sun's apparent speed is least at its apogee and greatest at its perigee. In the days of Ibn Ezra the sun's apogee was between the summer solstitial point and the autumnal equinoctial point. (See Evans, p. 211.)

50. The sign Cancer. The "changeable signs" are the signs that appear at the time of a season change, namely Aries (spring), Cancer (summer), Libra (autumn), and Capricorn (winter).

remaining seasons (autumn and winter) are approximately 177 days.[51] This is accurate with definitive proof.[52]

Now, what value is there in calculating the seasons according Shmuel? Even if his division was correct, what benefit would there be for the people of this island in knowing the time of the season change, since it is determined based on Jerusalem. For the sun rises there around four equinoctial hours before it rises on this island.[53] Our Rabbis agree in this matter, for they used the terms "new" and "old," "for us" and "for them" (*Rosh haShana* 20b).

Furthermore, assume that the seasons are relative to this island. Thus, if spring began at the beginning of the night, then summer would begin seven and one-half hours after nightfall. But night on this island is only seven hours in duration,[54] so the

---

51. Spring and summer together comprise $2 \times 94 = 188$ days, leaving $365 - 188 = 177$ days for autumn and winter.
52. "The definitive values for the lengths of the seasons in antiquity were those of Hipparchus, measured around 130 B.C.E.:

    Spring 94½ days
    Summer 92½ days
    Autumn 88 and ⅛ days
    Winter 90 and ⅛ days" (Evans, p. 210).
53. This is not accurate. Jerusalem is located at a longitude of 35°10′ E, while London is at 0°3′ W, so the difference in longitude is 35°13′, about two hours and 21 minutes. (An arc of 15° represents one hour.) In *Sefer ha'ibbur* (p. 8b), Ibn Ezra estimates the distance between Jerusalem and England at three or four hours. This agrees with the value that Claudius Ptolemy (*The Geography*, pp. 49 and 128) gave, setting the distance between Jerusalem and London at about 50° of longitude, or three and one third hours.
54. The relation between the length of the night (N) at summer solstice for a certain position (S) on earth, with latitude (L), is given by the equation $\cos(7.5 \times N) = \tan(23°26') \times \tan L$ (Evans, p. 120). London is at a latitude of L = 51°30′ north, so

    $N = 1/7.5 \times \arccos(\tan(23°26') \times \tan(51°30')) = 7.60$ hours.

    Thus the summer solstitial night is 7.60 hours in duration, and the day is 16.40 hours. This is approximately the value given by Ptolemy for Southern Brittania (*Almagest* II, 6, p. 87). Ibn Ezra's assertion that the summer solstitical night was only seven hours, might indicate that he

season will begin after sunrise.[55] Anyone who says that the season is based on unequal (seasonal) hours, which are twelve in the day and also twelve in the night,[56] is more hopeless than a fool. For how is it possible that an arc that measures 105° at the equator should be like an arc that measures 255°?[57]

Therefore scholars think[58] that since six zodiacal signs rise in

---

was residing in the northern part of the British Isle, or the Halachic definition of night is different than the astronomical definition.

55. Shmuel said ('eruvin 56a) that the summer season always begins at 1½ hours or 7½ hours of the day or night. However, if spring began at sundown in England, then summer would begin at ½ hour of the day, since night is only 7 hours long. However, Jerusalem which is at 31°47′ N, has a shortest night and shortest day of approximately 9.92 hours, so Shmuel's statement would be valid.

56. The division of a day into "seasonal hours" divides the period of time from sunrise to sunset into 12 equal parts, called "daytime hours," and also the period from sunset to sunrise into 12 equal parts, called "nighttime hours." Daytime hours and nighttime hours are not necessarily of equal length. Thus the length of an "hour" varies over the year. This differs from "equinoctial hours," which is the division of the period from one midnight to the following midnight into 24 equal hours, where each hour corresponds to 360° ÷ 24 = 15° of the sun's daily revolution about earth. Thus, if Shmuel was speaking of seasonal hours, then whenever spring began at sundown in England, summer would begin (7½ hours × 7/12) = 4.375 equinoctial hours after nightfall, or about 12:52 A.M.

57. At summer solstice in England, daytime extends for 17 equinoctial hours, an arc of 255°. At winter solstice, daytime is only 7 equinoctial hours, an arc of 105°. Ibn Ezra believed that it was not reasonable that an arc of 105° should be divided into the same number of parts (12) as an arc of 255°. In *Sefer ha'ibbur* (pp. 8b-9a) Ibn Ezra states his critique somewhat differently: "One cannot claim that Shmuel's hours are seasonal hours, determined by each night and by each day, since he divided the year into equal quarters."

58. See Hipparchus, *Commentary on the Phenomena of Aratus and Eudoxus* II, 1, 4–6 (cited by Evans, p. 98 and note 35).

all places every day,[59] that each sign rises in two hours.[60] But this is false and empty. For no zodiacal sign ever rises in any place in two hours,[61] even on the equator where the day and night are always equal.[62] All the more so for any place that is a great distance from the equator. Note that in this island the sign Aries rises in ⅘ of an equinoctial hour, while the sign Leo rises in a little less than three hours.[63] Anyone familiar with the constellations of the zodiacal sphere can see this. Even the moon during new moon when it is in the sign Libra.[64] Every person can see the image in the circle of the astrolabe, whether it is spherical or not spherical.[65] Thus any fool who knows the cycle of Shmuel and the names of

---

59. "In the course of any night, six signs of the zodiac rise. The proof of this assertion is elementary. At the beginning of night (sunset), the point of the ecliptic that is diametrically opposite the sun will be in the eastern horizon. At the end of the night (sunrise), the point opposite the sun will have advanced to the western horizon. The half of the ecliptic following this point is then seen above the horizon and is the very part of the ecliptic that rose in the course of the night" (Evans, p. 95).
60. That is, in two seasonal hours. The fact that six signs rise each night was often used as a method of telling the approximate time at night. "The risings of six zodiacal signs every night divide the night into six roughly equal parts, of two seasonal hours each. A glance toward the eastern horizon, to see which zodiacal constellation is rising, will suffice to determine the time of night, provided that one knows which constellation the sun is in" (Evans' p. 95).
61. Hipparchus (*ibid.*) voiced a similar critique of the scholars of his day (cited by Evans, p. 98).
62. See *Almagest* II, 8, pp. 100–103, for a Table of Ascensions.
63. See *Almagest, ibid.*, p. 103, where we find that in Southernmost Brittania, Aries rises in 12°48′ "time-degrees," or $(12° 48') \times 1/15 = 0.85$ equinoctial hour. Leo rises in 42° 53', or $(42° 53') \times 1/15 = 2.86$ equinoctial hours.
64. Normally the moon is not visible for about 24 hours after conjunction with the sun. However, there are situations, for example at the beginning of autumn (Libra), when the moon is visible within 6 hours of conjunction.
65. A spherical astrolabe, usually called an "armillary sphere," is described by Ptolemy in *Almagest*, V, 1. In his book *Kli Nehoshet*, Ibn Ezra describes the construction and use of a plane astrolabe. (See Evans, pp. 141–161.)

the signs and the seven planets, thinks that he is an astronomer. But he never heard the sound of wisdom, certainly not smelled its smell nor tasted its taste.

The Torah does not oblige us to know when a season begins, nor its day,[66] and certainly not its hour. A question was asked of Rabbi Hai:[67] "Why do Jews who live in the West avoid drinking water at the change of a season?" He responded that it is merely a superstition. Since it is the beginning of the year or the beginning of a quarter, they do not want to drink water that is free. They prefer eating all types of sweets so that their year is sweet. I say that the one who serves God and trusts only in Him will have a sweet year. Those who know the true season do not say that it is harmful for one who eats or drinks. With regards to bloating, that is the talk of old women.[68]

I will now discuss the beginning of the year. I say, firstly, that a circle has no starting point. Rather it is at each person's discretion. Thus the beginning of each individual's year is from the moment he was born, and when the sun returns to the same point at which it was earlier, the person completes one full year.[69]

---

66. "Day" might refer here to the day of the week.

67. Rabbi Hai ben Sherira Gaon (939–1038) was Gaon of the Pumbeditha Academy at the end of the Geonic period.

68. It was believed that one who eats or drinks at the beginning of a season will become bloated and ill. Ibn Ezra disregards that as a superstition.

69. It appears that Ibn Ezra is of the opinion that a person's birthdate and age are determined by the solar calendar. This is in agreement with Rabbi Saadia Gaon's statement: "A person's life is numbered according to solar years, as is the life of any growing thing, for example, trees and the like" (Rabbi Saadia Gaon, *Commentary on Genesis*, p. 342).

The starting point for correcting the sun's orbit is from its apogee.[70] The correction for a planet begins with the moment it is in conjunction with the sun, for then the planet is at the farthest point of its epicycle.[71] Also the moon is at its farthest point of its deferent.[72] However, these beginnings are not needed by all people.

Therefore, natural philosophers said that by right the year should begin with the point of intersection (equinoctial point) from which the sun begins to approach the inhabited portion of the earth (the northern hemisphere).[73] This is the cycle of Rav Adda.[74] Although his cycle is based on the average orbit, its correction is simple.[75] This was also the beginning of the year for those who developed the Hebrew calendar. This was also the beginning of the year for the early Greeks.[76] This is the vernal equinox. The Persians begin their year with the summer solstice, the Chaldeans with the autumnal equinox, and the Christians with the winter solstice. However the Christians are in error since their calculation of the solar year is not correct.[77]

When we investigate the Torah's year, we find written "This

---

70. In calculating the true position of the sun relative to the zodiacal sphere, the starting point is the sun's apogee. The angular distance of the sun's mean position from the apogee is called the "mean anomaly". (See *Almagest* III, 8, p. 169.)

71. The apogee of a planet relative to earth is always near the point of the planet's conjunction with the sun, for then the centers of the earth, the sun, and the planet are collinear.

72. Extreme values for apogee and perigee distances of the moon relative to earth occur when the moon passes those points close to full moon or new moon. (See *Inconstant Moon* by John Walker, p. 2.)

73. This is a "tropical year," the period from one vernal equinox until the following vernal equinox.

74. Rav Adda's year is a tropical year.

75. Rav Adda's figure is for a mean solar year. Corrections need to be made to accommodate apparent variations in the solar orbit.

76. See Evans, pp. 182–184 for a discussion of early Greek calendars.

77. During the lifetime of Ibn Ezra, Christians followed the Julian calendar, with a year consisting of exactly 365¼ days. In the year 1582 the Church

month shall be for you the beginning of months" (Exodus 12:2), so it is first of the months of the year. It is also written "This day you depart, in the month of ripening" (*ibid.* 13:4), and "Observe the month of ripening" (Deuteronomy 16:1). The explanation is that Israel counts by lunar months, and the month in which the barley ripens in the Land of Israel is the first of the year's months. The beginning of that month is the beginning of the year, whether the equinox has passed or not. However, in order to perform the waving of the *Omer*[78] the court should ensure that Passover will occur when the barley has ripened.[79] Most years the ripening coincides with the equinox, but sometimes they are separated slightly because of an abundance of rain or because of drought.

The beginning of Israel's year is determined by the court, as it is written regarding Hezekiah "And the king consulted" (2 Chronicles 30:2). He intercalated the year on advice of the court, and the Passover that he conducted was in the first month (*Nisan*). There are clear proofs that the revered God accepted his decision. However, he made one small error, namely, he did not intercalate the year on the day before the first month. This is the meaning of "He intercalated *Nisan* in *Nisan*, to which the Rabbis did not concur" (*Mishna, Pesahim* 4:9).

When the new moon comes again at the time of ripening in the Land of Israel, then one year is complete, whether the year is twelve months or thirteen. For this reason, in Hebrew they did not refer to the month of ripening as *Nisan*, rather "first."[80] The same is true for all the months. Therefore, other than in books of the exilic period, you will not find in the twenty-four books (the

---

reformed its calendar and adopted the Gregorian version, improving upon the approximation of the Julian calendar.

78. The *Omer* waving took place on the second day of Passover, the sixteenth of *Nisan* (Leviticus 23:10–11).

79. There are exceptions to this requirement. See Ibn Ezra's commentary to Exodus 12:2 and to Deuteronomy 15:1.

80. The first month in the Hebrew calendar might not always coincide with the Babylonian month of *Nisan*.

Hebrew Bible)[81] names for the months as they are known today, of which the first is *Nisan*.[82] So the year for Israel does not begin with the equinox, rather with the day of the new moon. Once we know that this month is the first, we observe the holidays in the seventh month from it. Thus, if Passover was in the days when the barley ripens, then Pentacost will be at the time of cutting and Tabernacles at the time of gathering.

We also find written[83] with regard to Tabernacles "at the turn of the year" (Exodus 34:22), and also "at the departure of the year" (*ibid.* 23:16). Now the same day when one year ends a new year begins. We also find that God instructed us in a law of *Haqhel*, when the entire Torah is read during the holiday of Tabernacles of a Sabbatical year (Deuteronomy 31:10–13). There it is written "in order that they may learn" (*ibid.* 31:12). It is not likely that this took place after half a year.[84] Do not be perplexed by the word "At an end (*miqqez*) of seven years" (*ibid.* 31:10),[85] for we

---

81. The canon for the Hebrew Bible contains 24 books: Pentateuch (5), Early Prophets (4), Later Prophets (4), Psalms, Proverbs, Job, Daniel, Ezra-Nehemia, Megilot (5), and Chronicles.

82. The names used for the months of the Hebrew calendar – *Nisan, Iyar,* etc. – for approximately the last two and a half millennia are Babylonian in origin. These names were adopted by the Jews after the destruction of the first Temple. Until that time the months were not given names and were referred to numerically – first month, second month, etc.

83. Ibn Ezra now proceeds to show that for some matters the year begins with the month of *Tishre*. Here he seems to be countering the Karites, who did not accept the first of *Tishre* as *Rosh haShana*. The Karites argued that there is no Scriptural basis for the first of *Tishre* being anything other than a day when work is forbidden (Leviticus 23:23–25) and special sacrifices are offered (Numbers 29: 1–5). The Karites began the year for all religious matters with the first of *Nisan*.

84. Thus, *Haqhel* certainly took place at the beginning of a Sabbatical year, indicating that a Sabbatical year began around the time of Tabernacles.

85. The verse concerning *Haqhel* reads: "At the end of seven years, in the time of the Sabbatical year, on the holiday of Tabernacles," which seems to indicate that the celebration of *Haqhel* took place at the conclusion of the Sabbatical year and the beginning of the eighth year.

similarly find "At an end (*miqqez*) of seven years you shall send forth, each man his brother" (Jeremiah 34:14).[86] For each thing has two edges, a front edge and a back edge. The Sabbatical year began with *Tishre*,[87] which is the seventh month, since then the half year of planting began. Thus it states regarding the Sabbatical year "do not plant" (Leviticus 25:4), and "You shall plant on the eighth year" (*ibid.* 25:22).

I shall explain the verse "it will bring forth produce for the three years" (*ibid.* 25:21).[88] Be aware that a minute remaining of a Biblical day is considered a full day. For example, it is written "On the eighth day the flesh of his foreskin shall be circumcised" (*ibid.* 12:3). If one is born on Friday one-half hour before the Sabbath commences, he is circumcised the following Friday morning, even though he has not completed seven full days.[89] Similarly, one day in the year is considered a full year. Sometimes it is counted as a separate year and sometimes it is left as part of the previous full year. Thus it is written "you will bear your sins for forty years"

---

86. We know that servants were set free after six years (Exodus 21:2). Thus "*miqqez*" must here refer to the beginning of the seventh year. Similarly for *Haqhel*, the word "*miqqez*" means "beginning" rather than "end."

87. Here Ibn Ezra refutes the Karites who began the Sabbatical year with *Nisan*. (See Ibn Ezra's commentary to Leviticus 25:20.)

88. Scripture states: "If you should say: 'What will we eat on the seventh year? Behold we will neither plant nor gather our produce.' I shall command My blessing upon you in the sixth year, and it will bring forth produce for the three years. You will plant in the eighth year and eat of the old produce until the ninth year, until the arrival of its produce, you will eat old" (Leviticus 25:20–22). Among the problems that these verses present are: (1) the "three years" are listed as through the ninth year, which tallies to four years (6, 7, 8, and 9) instead of three. (2) We do not even have three full years, since the produce serves for half the sixth year, the whole seventh year, and half the eighth year. (3) Why would they be eating old produce through the ninth year when they can plant and harvest on the eighth year (since the year begins with *Tishre*)? Ibn Ezra addresses these problems.

89. Thus we see that when Friday ends one full day is completed, even though it was not 24 hours. Therefore the following Friday is the eighth day.

(Numbers 14:34). Now this incident occurred in the second year, and God did not punish them before they sinned.[90] The number forty was due to their not crossing the Jordan until the "tenth of the first month" (Joshua 4:19) in the forty-first year.[91] This is in contrast to "they ate the manna forty years" (Exodus 16:35).[92] In Scripture the "seventeenth" (1 Kings 14:21) is identical with "the eighteenth year" (ibid. 15:1);[93] also the "nineteenth."[94] "The eleventh year" (2 Kings 9:29) is the same as "The twelfth year" (*ibid.* 8:25).[95] Also, Ahaziah ruled for two years beginning with "the seventeenth year of Jehoshaphat" (1 Kings 22:52), yet Jehoram his brother ruled after him "in the eighteenth year of Jehoshaphat" (2 Kings 3:1). There are many similar examples.

Thus "it will bring forth produce for the three years" refers to half the sixth year, the full seventh year, and half of the eighth. The phrase "until the coming of its produce" is connected with "the eighth year" (*ibid.* 25:22),[96] as if it were written "You will plant

---

90. The problem is how to arrive at a figure of forty years of wandering from the time they sinned (the slanderous report of the spies), when they remained in the wilderness only 39 more years.
91. In this case part of one month counted as a year.
92. The manna began in the first year of the exodus from Egypt and continued into the forty-first year. Yet Scripture writes "forty years," omitting the one month of the forty-first year.
93. We know that Rehoboam and Jeroboam began their reigns in the same year, with Rehoboam preceding Jeroboam by a few weeks. Also, Scripture relates that Rehoboam ruled for seventeen years (1 Kings 14:21), which would likewise be the seventeenth year of Jeroboam. Yet Scripture states that Rehoboam's son, Abijam, began his reign in the eighteenth year of Jeroboam (*ibid.* 15:1). Obviously here "seventeenth year" and "eighteenth year" were the same year.
94. The eighteenth year of Nebuchadnezzar (Jeremiah 52:29) is also referred to as the nineteenth year of Nebuchadnezzar (*ibid.* 52:12).
95. The verse relates that Ahaziah began his reign in the eleventh year of Jehoram (2 Kings 9:29), while in 2 Kings 8:25 it is written that Ahaziah began his reign in the twelfth year of Jehoram.
96. The phrase "until the arrival of its produce" does not refer to the arrival of the produce of "the ninth year," which is adjacent to that phrase, rather

in the eighth year and eat of the old produce until the arrival of the new produce, and it will provide for you until the harvest of the ninth year."

Similarly,[97] "from the first day until the seventh day" (Exodus 12:15)[98] is not connected to the adjacent phrase, rather to "whoever eats leavened bread etc." (*ibid.*) which is some distance away.[99] Similarly, "and Israel saw Egypt dead upon the bank of the sea" (*ibid.* 14:30) is to be understood as "and Israel saw, while standing upon the bank of the sea, Egypt dead." For "they went down like a stone into the depths" (*ibid.* 15:5), and "the earth swallowed them" (*ibid.* 15:12).[100] Similarly, "to fall before you in siege" (Deuteronomy 20:19) is connected with "you may not cut it down" (*ibid.*).[101] There are many similar verses.

The Jubilee is "seven sabbaths of years" (Leviticus 25:8). The Jubilee begins on the Day of Atonement, as it is written "on the Day of Atonement you shall pass a *Shofar* throughout your land and sanctify the fiftieth year" (*ibid.* 25:9–10). So the beginning of the Sabbatical year is like the beginning of the Jubilee year. Do not be puzzled that the year did not begin with the Day of Remembrance

---

to "the eighth year" that is mentioned earlier in the verse.

97. Now Ibn Ezra brings other examples from Scripture where a phrase does not refer to what is adjacent to it in the verse but rather to a part of the verse that is some distance away.

98. The verse reads: "Seven days you shall eat unleavened bread, but on the first day you shall remove leaven from your homes, for whoever eats leavened bread will be cut off from Israel, from the first day until the seventh day." Reading this verse literally, it gives the impression that one who eats leavened bread will be cut off from Israel for only seven days, from the first day of Passover until the seventh day. This is not a correct reading.

99. The verse is to be understood as: "whoever eats leavened bread from the first day to the seventh day will be cut off from Israel."

100. Therefore, verse 14:30 cannot mean that Israel saw Egypt's dead upon the bank of the sea, since the Egyptian bodies sank and were not thrown upon the bank.

101. The verse is to be understood as: "you may not cut down the tree so that the city should fall before you in siege, for man is dependant on the tree of the field."

(*Rosh haShanah*, the first of *Tishre*). For if we should calculate that the first of *Nisan* was exactly on the vernal equinox, then the true third season (autumn) needs to add approximately ten days, the excess of the the solar year over the lunar year.[102] Also, since the sun's movement is slow.[103] Therefore the year begins with the Day of Atonement or Tabernacles.

Be aware that the moon does not generate a year, for it traverses the zodiac in twenty seven and one-third days.[104] However, since twelve lunar months are approximately a full solar year, we call a twelve month period a "lunar year."[105] The Arabs count by such lunar years, therefore their holidays occur sometimes in the summer and sometimes in the autumn. However, Israel's years

---

102. Spring and summer together comprise 187 days (see note 52), while six lunar months consist of $6 \times 29.5 = 177$ days. Therefore, we must add 10 days to the six months from *Nisan* until *Tishre* for the beginning of autumn. This turns out to be close to the difference between a solar year (365 days) and a standard lunar year (354 days).

103. The sun's movement appears slower near its apogee, which is during the summer (see note 49).

104. This is called a "tropical month," and is defined as the mean time it takes for the moon to travel from one equinoctial point, all the way around the zodiac, and return to the same point. In his *Sefer haLuhot* (quoted by Rabbi Yosef Tov 'elem, *Tzafnot Pa'neah*, vol. 1, p. 13), Ibn Ezra records a more exact figure for a tropical month: 27 days, 7 hours, and 775 *halaqim*; or 27 days, 7 hours, 43 minutes, and 3 and ⅓ seconds, approximately 27.3216 days. The current approximation for a tropical month is 27 days, 7 hours, 43 minutes, and 5 seconds, also approximately 27.3216 days. This is less than the mean time between new moons or full moons (called a "synodic month"), since the sun advances easterly along the ecliptic in the course of a month, and it takes time for the moon to catch up with the sun. See Ibn Ezra's commentary to Exodus 12:2.

105. An ordinary lunar year consists of twelve synodic months, totaling
$12 \times (29d, 12h, 793p) = 354d, 8h, 876p$, approximately 354.3671 days. According to Shmuel, a solar year is 365d, 6h, thus a solar year has an excess of 10d, 21h, 204p, approximately 10.8829 days, over an ordinary lunar year. According to Rav Adda, a solar year is 365d, 5h, 997p, 48s (see note 43), hence a solar year has an excess over a lunar year of 10d, 21h, 121p, 48s, approximately 10.8797 days.

will equal exactly the true solar years every nineteen years.[106] Only Israel's calculation is correct.[107]

Know that the Chaldeans do not have a second *Adar*, because their months are not lunar months.[108] Instead they divide the solar year into twelve parts. The meaning of the verse "In the first month, the month of *Nisan*" (Esther 3:7), is that in that specific year it was so, for in an intercalated year the first month would have been *Iyar*. Therefore, it is not correct to translate "in the first" (Joel 2:23) as " in *Nisan*."[109] This was done so that people at that time would understand.

---

106. The Hebrew calendar is a "lunisolar calendar," being basically lunar but incorporating adjustments (leap years and adjustable months) to accommodate the solar year.
107. "Of all methods of intercalation which exist today, the Jewish calculation is the oldest, the most skillful, and the most elegant" (Joseph Justus Scaliger, *De Emendatione Temporum*, 1593; quoted by Reingold and Dershowitz, p. 96).
108. See Evans (p. 187) where he describes the Babylonian calendar as also a lunisolar calendar with a second *Adar*. Also see Otto Neugebauer, *The Exact Sciences in Antiquity*, p. 102.
109. This is how the term is rendered in the Aramaic translation of Jonathan ben Uziel.

SECOND GATE

On the Beginning of the Month

We find that the light of the sun and of all the stars is eternal, of itself it does not increase nor decrease. However, the light appears to increase or decrease depending on whether the object being viewed is far or near. Also, the light varies due to changes in the atmosphere at the beginning or the middle of the day. Only the moon has a renewal of its light.[1] Therefore, the Hebrew term for month, "*hodesh*," can truly apply only to a lunar month.[2] We examine when such a month begins.

All astronomers agree that the lunar month begins at the moment when the moon and the sun are in conjunction in the same longitude. This is what our Rabbis called the "*molad*" (birth, i.e.,

1. Ibn Ezra believes that the sun, all planets and all stars, generate their own light, and only the moon reflects light of another body (the sun).
2. In Hebrew, a month is called "*hodesh*," which is derived from the root "*hidesh*" meaning "renew." Since only the moon has a renewal of its light, "*hodesh*" can only refer to a lunar month.

new moon). Our scholars calculated it for the mean orbit,[3] and all astronomers did the same. Then they adjusted it.[4] Thus our Rabbis, their memory should be a blessing, said: "Sometimes it comes by a long path and sometimes it comes by a short path" (*Rosh haShanah* 25a). Since conjunction involves two bodies, we must know with regard to each one when it is a long path or a short path. Sometimes both are long, or both short, or the sun long and the moon short, or *vice versa*. Also, sometimes the length or shortness is small, sometimes large, to the extent that the length or the shortness may be as much as thirteen hours. Thus at times there is a difference between our calculation of conjunction and true conjunction of these many hours, either earlier or later.

This caused the Gaon (Rabbi Saadia) to err when he said that he saw the moment of a solar eclipse in Baghdad and it was not at the time of our calculated *molad*.[5] From this he concluded that the calculation of the Rabbis was not accurate. However, their calculation is the accurate one. The Gaon made four errors: The first is that he should have known about the long and short paths, as astronomers do. For there is no disagreement between conjunction for the Jews and conjunction for the Gentiles with regard to the mean orbit, which then allows one to calculate the true conjunction. The second error is that the *molad* is calculated relative to Jerusalem, and there is ⅔ of an hour difference in lon-

---

3.　This figure is given in the Talmud: 29 days, 12 hours, and 793 *halaqim* (*Rosh haShana* 25a), or 29 days, 12 hours, 44 minutes, and 3 and ⅓ seconds, approximately 29.5306 days. Such a month is known as a "synodic month" and is defined as the mean time between new moons. The current approximation for a synodic month is 29 days, 12 hours, 44 minutes, and 2.7 seconds, or 29.5306 days.

4.　"Mean conjunction" is conjunction of the sun and the moon relative to their individual spheres. However, since the moon's sphere, the sun's sphere, and the earth are not concentric, conjunction relative to the zodiacal sphere may differ from conjunction relative to the individual spheres. Conjunction relative to the zodiacal sphere is called "true conjunction."

5.　A solar eclipse occurs when the moon blocks the sun's light from reaching earth. This can only happen at a time of true conjunction.

gitude between Jerusalem and Baghdad.[6] The third error is that he should have known the difference in appearance based on longitude, since an eclipse is one of appearance.[7] The fourth error is the difference in appearance based on latitude.

There are those of our generation who calculate the Hebrew calendar. Because they know the calculation based on 1:12:793,[8] they think that they have discovered the principle of the calendar. They then examine the duration between the *molad* and the beginning of the night, and they tell the uncircumcised (Christians) when the moon will be visible.[9] When they see that in their place the duration [between *molad* and sighting] is sometimes less that six hours,[10] they think that the time given for the *molad* applies to the location of each individual calculator. However, there are times when the moon is seen at the beginning of the night and sometimes there are seven or eight hours between the *molad* and dusk, and the moon is still not visible. Therefore, they think that

---

6. Jerusalem is at a longitude of 35°10′ E while Baghdad is at 44°30′ E. The difference is 9°20′, almost ⅔ of an hour (⅔ × 15° = 10°).

7. In a solar eclipse the sun's rays are blocked by the moon from reaching earth. However, the sun continues to shine and its intensity is in no way diminished. Those who are elsewhere in the universe will see the sun's rays. "The sun may therefore be eclipsed to one observer while to another elsewhere it is visible as usual. Hence in computing an eclipse of the sun it is necessary to take into account the position of the observer on the earth" (Berry, p. 60). This is in contrast to a lunar eclipse where the moon is darkened and it is dark for everyone in the universe, no matter where that person stands.

8. A mean lunar month is 29 days, 12 hours and 793 *halaqim*. If we discard the four complete weeks from this figure, we have the "character" of 1 day, 12 hours, and 793 *halaqim* (1d, 12h, 793p). This is the amount of time that the *molad* proceeds through the week from month to month. Thus the *molad* advances monthly by 1d, 12h, 793p of a week.

9. I do not know why the Christians, who use a solar calendar, need to know when the moon will be visible. Perhaps there is an error here in our texts and it should read "Arabs."

10. It sometimes happens that the *molad* is less than six hours before sunset yet the moon is visible that evening.

the calculation of our calendar is incorrect. Heaven forbid! Rather they err, for they think they are wise. For a scholar cannot know when the moon will be visible until he does as I shall explain:

He must know the moment of the *molad*. He should not assign to the night twelve hours. Rather he should begin to count from the beginning of the night until the moment of conjunction so many and so many hours.[11] He should know where conjunction will take place as to the minute of the degree of the zodiacal sign. He should see if the sun's path is long or short, and how long the path of the moon is. He should then add or subtract until he knows the moment of true conjunction for Jerusalem. He should then calculate how far this conjunction is from the beginning of the night by hours and minutes. If he is west of Jerusalem he should add to those hours the hours of his distance in longitude, or subtract hours if he is east of Jerusalem. He should know the daily distance that the sun travels in hours and add it to the place of the sun at the moment of true conjunction. He should do similarly for the position of the new moon based on its orbit. Then he should record in a chart the degrees of the zodiacal signs in his land, and take those degrees that he will find relative to the position of the sun. He should similarly do this in degrees relative to the moon, and subtract the smaller from the larger. Then he will find the arc of the chord (between the sun and the moon). He should find the positions of the nodes,[12] so that he will know the latitude of the

---

11. He should count night followed by day on a 24-hour clock and not begin a new count with dawn.

12. The nodes are the two points at which the moon crosses the ecliptic. They are called the "head" and the "tail" of the "dragon." Berry (p. 48) explains: "The moon's path on the celestial sphere is slightly inclined to the ecliptic, and may be regarded as a great circle cutting the ecliptic in two nodes, at an angle which Hipparchus was probably the first to fix definitely at about 5°. Moreover, the moon's path is always changing in such a way that, the inclination to the ecliptic remaining nearly constant, the nodes move slowly backwards from east to west along the ecliptic, performing a complete revolution in about 19 years."

moon,[13] in order to correct this arc. Then he should adjust the arc based on the correction of the sighting, both in longitude and in latitude. Then we will know the true arc of vision.[14] Then he will know when the moon will appear in each place for any desired month. One who knows these matters can understand the principle "If it is born before noon" (*Rosh haShana* 20b).[15]

I elaborated, mentioning all of this, because one of the intellectuals of the generation requested of me that I explain to him the principle of "If it is born before noon" while standing on one leg.[16] When I was silent, he became angry. So I gave him true counsel. He should fast before the revered God, who is capable of all things, to create for him a pure heart and internalize in him a new spirit, to pour upon him a spirit of wisdom. Then he will understand all disciplines by himself without the need for days and years of study, something that no man has achieved from the day that man was created upon the earth. Perhaps God will listen to his plea and perform for him this miracle and sign and amazing fete, making him a second to the donkey of Balaam.[17]

It is not convenient that the month begin with the time of mean conjunction nor of true conjunction, since not everyone can know these times. Therefore, the month begins when the moon's light is newly visible to the eye. Such is written in the *Mishna*.[18] So

---

13. There is a difference in the time of visibility of the moon if it is north of the ecliptic or if it is south of the ecliptic.
14. This is the arc between the longitude of the sun and that of the moon. In order for the moon to be visible, an arc of vision of at least 12° is necessary.
15. The Talmud states: "If it [the moon] is born before noon, it will be seen before sunset; if it is not born after noon, it will not be seen before sunset." In *Sefer ha'ibbur* (p. 10b) Ibn Ezra explains this statement.
16. An expression meaning hurriedly and in a short summary.
17. Ibn Ezra had no patience for fools. See the article by Uriel Simon, "Ibn Ezra's Harsh Language and Biting Humor: Real Denunciation or Hispanic Mannerism," *Te'uda* 8, 1992, pp. 111–120.
18. See for example *Rosh haShana* 1:7. Here Ibn Ezra rejects Rabbi Saadia Gaon's opinion that the Hebrew calendar is primarily a fixed calendar based

just as the first month (*Nisan*), which is the month when the barley ripens, is recognizable by both an intelligent person and a fool, so the beginning of the month is recognizable by every person.

---

on computation, and the need to observe the moon in order to declare a new month was only a temporary measure. (See Savasorda, *Sefer ha'ibbur*, pp. 59–62.) Maimonides (*Commentary to the Mishna, Rosh haShana* 2:7) is very critical of Rabbi Saadia on this point and asserts that the primary method for setting the month and the holidays is by observation of the new moon.

THIRD GATE

On the Beginning of the Day

Just as there are four seasons in the year, due to the sun's movement from west to east, so there are four quarters for the daily movement from east to west. From dawn to midday is hot and wet. As in the spring season when the sun rises toward the north, so too it now rises to midheaven. The other half of the day the sun descends, corresponding to the summer season. From dusk until midnight is comparable to the autumn season, and the fourth quarter of the day (from midnight until dawn) is similar to the winter season. It is appropriate that the beginning of the day, which affects all persons, be one of these four points.

Astronomers begin the day with midday and it extends until midday of the following day, twenty-four hours. This is a complete day for their calculations. This is justified for their need because of two factors, which only geometers can understand.[1] However,

1. Among the advantages of defining a day as extending from midday to midday (or midnight to midnight) is the fact that all inhabitants along a common meridian would begin and end the day at the same time. This is not the case if a day extends from sunrise to sunrise or from sunset to sunset. Also, from midday to midnight will always be 12 hours, which is not the case from sunrise to sunset.

since the shadow at midday is always short and slants only slightly, sometimes an individual's eye cannot discern this. Even with a sundial or an astrolabe, a scholar cannot recognize the moment of midday. Therefore our Rabbis found it necessary to tell us that the *Minha* prayer should be one-half hour after midday, for then the eye can discern that the sun has passed to the west. For this reason it is unlikely that midday should be the beginning of the day. All the more so with midnight, for no person can know it.

Therefore by right the day should begin with dusk or with dawn. Since the Torah's month is lunar, and the new light is visible only at dusk, therefore the day begins with dusk and extends until the following dusk.

I also investigated and discovered[2] that the month of *Nisan* is first for setting the holidays, since in that month our ancestors departed from Egypt. However, the Sabbatical year and the Jubilee year justly begin with *Tishre*. This Chaldean name means "beginning," as in the verse "and began (*shariv*) to build" (Ezra 5:2). Now dusk is comparable to the onset of autumn, which is in *Tishre*.

I also found that all the ancients calculated the *molad* from the beginning of the night.

Again I saw our sages saying that the *shelamim* sacrifices were eaten "for two days and one night" (Mishna, *Zevahim* 5:7). Now if the day began with dawn, it is not possible to have a third day unless there were two nights.[3]

I investigated further and found that with regard to one who has a discharge in the night or in the day, or one who touches any contamination which renders him unclean, Scripture says "he

---

2. Ibn Ezra now builds a case for beginning the day with dusk.
3. The limitation to eating the *shelamim* sacrifice for two days and one night is derived from the verse "What remains from the flesh of the sacrifice on the third day shall be burnt in fire" (Leviticus 7:17). If a day begins with dawn and extends through the night, then it should be permissible to eat the sacrifice through the second night until the morning of the third day. Obviously, the Rabbis were of the opinion that "the third day" began with the evening following the second day.

is unclean until dusk" (Leviticus 22:6), which must be the end of the day. For if the day began with dawn, then one who has a discharge at night should become clean at the end of the "day," namely, at dawn.

I also found explicit with regard to the first of the holidays (Passover), which God gave to Israel prior to instructing them about the Sabbath, "on the fourteenth day of the month at evening you should eat unleavened bread, until the twenty first day of the month at evening" (Exodus 12:18), a total of "seven days" (*ibid.* 12:19). Thus the evening of the fifteenth is the first day. It is also written "[neither shall any of the flesh] from which you offered in the evening of the first day [be left over] until the morning" (Deuteronomy 16:4). Also, it is known that the firstborn were smitten at midnight (Exodus 12:29), yet it is written "on the day that I smote all firstborn" (Numbers 3:13, 8:17).[4] Also in Scripture "this day is a day of tidings…if we wait until the morning light" (2 Kings 7:9).

I also found with regard to the Day of Atonement "from dusk until dusk you should observe your Sabbath" (Leviticus 23:32). Furthermore, it is written "on this very day" (*ibid.* 23:29,30) there is cutting off of anyone who works on it or of one who eats, there is no difference whether this took place during the night or the day, for "very day" begins with dusk.

Here are honest witnesses that the day begins with dusk. Similarly for all the holidays and the Sabbath, for all are "appointed seasons of God, holy gatherings" (*ibid.* 23:4). Only the Sabbath is called "a Sabbath for God" (Exodus 20:10, Deuteronomy 5:14), for God rested during Creation. Since both the year and the day are dependent on the sun, for both motions are similar one to another, therefore the seventh year is comparable to the Sabbath day. Hence it is also written with regard to the seventh year "a

---

4. The verse informs us that God sanctified all Jewish first born on the day that the Egyptian first born were slain. It seems likely that this took place on the first day of Passover.

Sabbath for God" (Leviticus 25:2). Therefore, just as the Sabbatical year begins with the autumn season, so the beginning of the Sabbath day is in that period of the day corresponding to autumn, which begins with dusk.

Do not be puzzled by the verse "tomorrow is a rest, a holy Sabbath for God" (Exodus 16:23), yet Moses did not mention this at dusk.[5] I will now explain to you this section to ward off the claimant. Be aware that God did not command "do not perform any work" (*ibid.* 20:10) on the first Sabbath that manna fell. He waited with that proclamation until the day that they stood at Mount Sinai. Since Moses had specified "an *omer* for each head" (*ibid.* 16:16), and he instructed "no man may leave over from it until morning" (*ibid.* 16:19), when on Friday the people gathered two *omer*, they (the princes) informed Moses (*ibid.* 16:22) of the matter. Moses responded, "This is what God said" (*ibid.* 16:23), meaning that God already spoke with me regarding this matter before the raining of the manna when He said, "And it shall be on the sixth day [they will prepare what they have brought, and it will be double what they gathered daily]" (*ibid.* 16:5). He explained the reason for a doubling of manna was "a rest, a holy Sabbath" (*ibid.* 16:23), God will rest tomorrow. He did not reveal this secret[6] to them nor what they should do with the extra that he instructed them to put aside. In the morning of the Sabbath day Moses said to the people, "this day is a Sabbath to God" (*ibid.* 16:25), God will not cause manna to rain down, "today you will not find it" (*ibid.*), do not go out to gather.

I mention this interpretation to counter the heretics who do not believe the words of our Rabbis that the Sabbath extends from dusk to dusk. The true interpretation is what the Rabbis recorded, namely, that the Sabbath was given at Marah.[7] Scripture

---

5. So it appears that the Sabbath begins with dawn.
6. The secret that no manna will fall on the Sabbath day.
7. "Israel was instructed in ten laws at Marah. Seven of these were accepted by the descendents of Noah. Three additional laws were courts, Sabbath,

mentions "tomorrow" and not "this night," for Scripture usually speaks of what is common, namely, that people work during the day. The meaning of "holy Sabbath" is that they should rest, and that is what they did, "The nation rested on the seventh day" (*ibid.* 16:30). In Jeremiah it is written: "to sanctify the Sabbath day by not working on it" (17:24). Moses mentioned "tomorrow," which is daytime, because he addressed what is common. Similarly, "Man goes out to his activity and to his work until evening" (Psalms 104:23). Likewise, "You should not eat meat that was torn in the field" (Exodus 22:30), although the same prohibition applies to what was torn in a house. Similarly, "an occurrence at night" (Deuteronomy 23:11);[8] "an ox or a donkey fell there" (Exodus 21:33);[9] and many more in the Torah like these.

I will now examine Creation, and I will begin to respond to the one who says that the night follows the day. If this were so, why did Scripture not state explicitly "from dawn to dawn is one day?" Or "from light to dawn?" Why did it interrupt with "it was dusk" (Genesis 1:5)? From the verse "it was dusk and it was dawn" it seems that from dusk until dawn is one day, contrary to what is stated earlier, "God called light 'day'" (*ibid.*).

What brought this commentator to this difficulty was because many treated the verse "In the beginning God created (*bara*)" (*ibid.* 1:1) as if it was written "At the beginning of God's creating (*bero*) the heavens and the earth, the earth was empty (*tohu*) and void (*vohu*)" – it did not exist, meaning there was no earth. Similarly, "darkness" is the absence of light, meaning there was none.[10]

---

and respect for parents" (Sanhedrin 56b). The incident at Marah (Exodus 15:22–26) took place before the appearance of the manna (*ibid.*, chapter 16).

8. This does not exclude an occurrence of the day.
9. Ox or donkey are not exclusive.
10. According to this interpretation nothing existed prior to the creation of light. So the first created condition was light, followed by darkness at night. Thus a 24-hour day consists of light followed by darkness – day followed by night.

But this interpretation is completely incorrect. Because why did he need to mention the heavens since it did not state that they were nonexistent like the earth? Also, from a grammatical point of view, why is there an added *vav* ("and") to the word "*veha'arez*"? This is not the same as the extra *vav* found in verbs, as in "On the third day Abraham lifted (*vayisa*) his eyes" (*ibid.* 22:4), "he abandoned (*vaya'azov*) his servants" (Exodus 9:21). They are like the weak *fe* in Arabic, for Arabic forms are similar to those of the Holy Tongue (Hebrew). However, no *vav* is added to nouns. Also, according to this interpretation the wind and the water were not created,[11] yet it is written in the book of Psalms with regard to both of these "for He commanded and they came to be" (148:5).[12] Even darkness was created, as it is written "who forms light and creates darkness" (Isaiah 45:7).

The truth is that Scripture mentions the heavens and the earth because they form one globe, with the heavens like the circumference and the earth like the point at the center.[13] Now the earth was covered with water from all sides, as it is written "they will not return to cover the earth" (Psalms 104:9), and the wind surrounds the waters.[14] These are the four elements, namely, the heavens, earth, wind and water, for the heavens correspond to

---

11. No mention is made of the creation of air and water, even though they are referred to in verse 2.

12. The verses in Psalms are: "Praise Him, heavens of heavens (the sphere of fire), and waters that are above the heavens. They should praise the name of God, for he commanded and they were created" (148:4–5).

13. Ibn Ezra is of the opinion that the "heavens" spoken of in Genesis refer to the lower sky, the atmosphere that is immediately above the earth. Genesis does not speak of the spheres of planets and stars that encompass the earth. See Ibn Ezra's commentary to Genesis 1:1–2.

14. Thus the lower world consists of four spheres, each one encompassing those below it. Their order from innermost to outermost is: earth, water, air, and fire. The ancients believed that everything in the lower world, the world below the moon's sphere, is composed of four elements – fire, air, water, and earth. This lower world is the subject of Creation in the book of Genesis.

fire. Similarly we find "To make a weight for the wind and He counted the waters by measure" (Job 28:25), "For He gazes to the edges of the earth, under all the heavens He sees" (*ibid.* 28:24). Similarly, "Who measured the waters with his fist and counted the heavens with a span, and all the dust of the earth in a measure... who counted the wind of God" (Isaiah 40:12–13). Again, "Who ascended to the heavens and descended" (Proverbs 30:4), and the other three follow the word "heavens."[15] Also, "The sun shines" (Ecclesiastes 1:5) corresponds to the heavens, "and the earth remains forever" (*ibid.* 1:4), "round and round goes the wind" (*ibid.* 1:6), "all the rivers go to the sea" (*ibid.* 1:7). Since the circumference, which is the heavens, and the center, which is the earth, were created, so too all that is between them was created.

The meaning of "was empty and void" ("*tohu vavohu*") (Genesis 1:2) is that it contained neither man nor animal. As Jeremiah explains, "I saw the land and it was empty and void (*tohu vavohu*)" (4:23), for which he explains the meaning afterward by saying, "I saw and there was no man" (*ibid.* 4:25) nor "animal" (*ibid.* 9:9). Similarly, "like the light of the seven days" (Isaiah 30:26) is an explanation of "sevenfold" (*ibid.*). Also, "that which I will be" (Exodus 3:14) explains "I will be" (*ibid.*). I have already explained the mystery of "sevenfold."[16] Our Rabbis hinted at this when they said that on the fourth day the luminaries were hung (*Hagiga* 12a). How admirable to the intelligent is the choice of the word "hung."[17] Thus the words of Jeremiah disprove those who say that "*tohu vavohu*" means that there was no earth.

---

15. The verse reads: "Who ascended to the heavens and descended, who gathered wind in his fists, who bound the waters in a garment, who erected the ends of earth" (Proverbs 30:4). Here again, the four basic elements are enumerated.

16. In his *Alternative Commentary to Genesis* (1:14), Ibn Ezra explains that the light increasingly intensified over the seven days of Creation, hence "sevenfold" means that there were seven stages to the light.

17. The description of Creation in the book of Genesis deals only with creation of the lower world, the world of generation and decay, and it does

Now the darkness proceeded the light, as it is written (Genesis 1:2). The great movement (diurnal movement) includes the time of darkness and light, and that is called "*yom*" (day), that is, a complete day of twenty-four hours.[18] This does not conflict with the fact that Scripture first mentioned "God called the light 'day'" (Genesis 1:5) before the night, for this is common with the Hebrew language, namely, when someone mentions two things he should begin with the latter.[19] For example, "I gave Jacob and Esau to Isaac, and I gave to Esau..." (Joshua 24:4). In the same way, "Your's is the day also the night" (Psalms 74:16), and he mentions the minor luminary (the moon) that governs the night before the greater luminary (the sun), although the latter is more important than the former. Also, do not be perplexed when Scripture says "He formed the light and created darkness" (Isaiah 40:12). Scripture puts the light first because it has advantages over darkness, even though darkness came before the light. Similarly, in the verse "His sons Isaac and Ishmael" (Genesis 25:9).[20] Also, "There they buried Abraham and Sarah his wife" (*ibid.* 49:31), although he buried her.[21]

Because Scripture mentioned "God called the light '*yom*' (day)", it needed to tell us how one should count a day of the Torah. For the word "*yom*" has two meanings (a period of daylight, 12 hours, and a 24-hour period). Therefore it says that these two beginnings, namely dusk and dawn, encompass the Torah's day. For *'erev* (dusk) refers to the time when shapes merge and are not distinguishable to the eye, as in the verse "They intermingled

---

not expound on the creation of the heavenly bodies. So all Scripture tells us about the heavenly bodies is that they were "hung" and visible to the lower world.

18. Thus "day" includes a period of darkness and a period of light, in that order.

19. Verses 3 and 4 refer to the light, therefore verse 5 begins by calling the light "day."

20. Isaac is mentioned first, even though he was the younger son.

21. Abraham is mentioned first although Sarah was buried first.

(*vayit'arvu*) among the nations" (Psalms 106:35). *Boker* (dawn) is the time when the forms are distinguishable and are recognizable and examinable, as in the verses "the priest need not examine (*yevaqqer*)" (Leviticus 13:36), "As a shepherd (*vaqqarat*) tends his flock" (Ezekiel 34:12). The term *yom* (day) encompasses both these times, for a single motion includes both. Similarly we find "He created male and female...and called their name 'Adam'" (Genesis 5:2), while it is also written "And [the Lord, God,] made for Adam and his wife garments of hide and He dressed them" (*ibid.* 3:21).[22] Again it is clear from the description of Creation that a day is from evening to evening.

Thus the poet (David) said, "Evening, morning, and noon" (Psalms 55:18), and he did not say "morning, noon, and evening". He mentioned the three times when a person is obliged to pray, for the other(?) time people are asleep. That is "At midnight I arise to praise You" (*ibid.* 119:62).

Also, in Daniel it is written "He said to me until evening, morning" (8:14). Here a *vav* ("and") is missing,[23] as in "Sun, moon stood in its place" (Habakkuk 3:11).[24] Proof of this is from a subsequent verse "The vision of the evening and the morning" (Daniel 8:26).[25] This constitutes a full day. The reference is to the two thousand days that Israel were afflicted in the days of the Greeks, as I have explained in its place. Therefore the angel said, "The vision of the evening and the morning that was said is true." Meaning that it is not necessary to explain, for they are complete days, as you were told.

This letter has been hastily completed. Praise to the One of glory.

---

22. We see that the name "Adam" has a double meaning, sometimes referring to the entire human species, both male and female, and sometimes only to the male (or a specific male).
23. The verse should be understood as "until evening and morning."
24. Here also a conjunctive *vav* is missing, yet the verse is understood to mean "Sun and moon".
25. In the latter verse it is written "*ha'erev vehavoqer*," with a conjunctive *vav*.

I called this letter *The Sabbath Epistle* (*'iggeret haShabbat*), for it brings together (*'ogeret*) all responses. Also, it is named for the letter that I saw in my dream. It is clear from this epistle when the day begins, also the beginning of the month, and also the beginning of the year. The glorious God, who is first without beginning and last without end, will draw near the time of the end of days, to return us as in days of long ago and earlier years. Amen.

APPENDIX A

We summarize the opinion of Shmuel and its consequences, as interpreted by Rabbi Abraham Ibn Ezra:

1. The Talmud records a debate among the Rabbis of the Mishna whether the universe was created in early spring (*Nisan*) or in early autumn (*Tishre*).[1]
2. Shmuel adopted the view that the universe was created in early spring. However, when it comes to calculating the New Moon and counting the years from Creation, he accommodated the opposing opinion, as we shall see.[2]
3. A *week* (w) consists of 7 days, a *day* (d) (or *nychthemeron*) of 24 hours, an *hour* (h) of 1080 *halaqim* (*parts*, p).[3]

---

1. *Ha'ibbur*, p. 5b. "Rabbi Eliezer says that the universe was created in *Tishre*...Rabbi Yehoshua says that the universe was created in *Nisan*" (*Rosh haShana* 10b-11a).
2. *Ha'ibbur*, pp. 5b-6a; *Shalosh She'elot*, p. 2. Cf. "The Rabbis taught: Jewish scholars count the years of the Deluge as Rabbi Eliezer and the seasons as Rabbi Yehoshua" (*Rosh haShana* 12a). See *Tosafot, Rosh haShana* 8a.
3. *Ha'ibbur*, forepage.

4. All times are given relative to Jerusalem.[4]

5. A 24-hour day extends from six hours after noon of one day to six hours after noon of the following day.[5] A week is the period from six hours after noon of one Saturday to six hours after noon of the following Saturday.

6. A *solar year* is defined as the period from one vernal equinox to the following vernal equinox (*tropical*).[6]

7. The length of a solar year is exactly 365 days and 6 hours, [365d, 6h, op].[7] Subtracting multiples of 7 days (one week) from the number of days of a solar year, we have the *character of a solar year*: one day and 6 hours, [1d, 6h, op].

8. The solar year is divided into four equal (*solar*) *seasons* (*tequfot*): spring (*tequfat Nisan*), summer (*tequfat Tamuz*), autumn (*tequfat Tishre*), and winter (*tequfat Tevet*).[8]

9. Spring begins with the vernal (spring) equinox, summer with the summer solstice, autumn with the autumnal equinox, and winter with the winter solstice.[9] In terms of zodiacal signs, spring begins when the sun enters the sign of Aries, summer when the sun enters Cancer, autumn when the sun enters Libra, and winter when the sun enters Capricorn.[10]

---

4. *The Sabbath Epistle*, Gate 1; *Ha'ibbur*, p. 8b.
5. See *The Sabbath Epistle*, Gate 3.
6. *Ha'ibbur*, p. 6a.
7. *Ha'ibbur*, p. 5a. Cf. *Bereita of Shmuel*, p. 32. For intervals of time I am using square brackets, [Xd, Yh, Zp].
8. *The Sabbath Epistle*, Gate 1. Cf. *'eruvin* 56a.
9. *The Sabbath Epistle*, Gate 1. These seasonal points are relative to the solar sphere.
10. *Ha'ibbur*, p. 6a. Cf. Maimonides, *Mishne Torah*, Sanctification of the New Moon 9:3.

10. The length of each season is 91 days and 7½ hours, [91d, 7h, 540p].[11] Subtracting multiples of 7 days from the length of a season, we have the *character of a season*: [0d, 7h, 540p].[12]

11. The luminaries were created the beginning of Tuesday night of the week of Creation, and the first vernal equinox took place at the moment of their creation, at (4d; 0h, 0p) Jerusalem time.[13] That seasonal point is considered the primordial seasonal point, and all subsequent seasonal points are counted from that first vernal equinox.[14]

12. The annual cycle of solar seasons begins with the vernal equinox, and that seasonal point is considered the first seasonal point of a solar year.

13. The vernal equinox always occurs at one of the following four times of a 24-hour day: at the beginning of night (0h, 0p), at midnight (6h, 0p), at the beginning of day (12h, 0p), or at midday (18h, 0p). The summer solstice always occurs at either (1h, 540p), (7h, 540p), (13h, 540p), or at (19h, 540p) of a day. The autumnal equinox always occurs at either (3h, 0p), (9h, 0p), (15h, 0p), or at (21h, 0p) of a day. The winter

---

11. *Ha'ibbur*, p. 5a, 8b. "Shmuel said…the span between seasons is ninety one days, seven and one half hours" (*'eruvin* 56a). Calculating [365d, 6h, 0p] ÷ 4 = [91d, 7h, 540p].

12. *Ha'ibbur*, p. 6a.

13. *Ha'ibbur*, p. 5b; *Shalosh She'elot*, p. 2. A word about the notation I am using for the day of the week and time of the day. The coordinate notation (Xd; Yh, Zp) means after the completion of Y hours and Z *halaqim* of day x of a week. For example, (2d; 10h, 100p) would be upon the *completion* of 10 hours and 100 *halaqim on* the second day of the week (Monday). Thus the beginning of Creation would be denoted (1d; 0h, 0p) rather that the more consistent (0d, 0h, 0p) or (1d, 1h, 1p). Unfortunately, this notation is somewhat confusing, but it corresponds with the days and times as Ibn Ezra and other medieval authors record them. Thus they write that Adam was created at וי"ד, (6d; 14h, 0p), meaning after the completion of fourteen hours (and the beginning of the fifteenth hour) of the sixth day (Friday) (*Ha'ibbur*, p. 3b).

14. *Ha'ibbur*, p. 5b.

solstice always occurs at either (4h, 540p), (10h, 540p), (16h, 540p), or at (22h, 540p) of a day.[15]

14. The first (*actual*) autumnal equinox took place two seasons after the first vernal equinox, on Wednesday at the beginning of the fourth hour of the morning, (4d; 15h, 0p).[16]
15. Every four years (beginning with the year of Creation) all the seasonal points return to their original time of the day as they were at the time of Creation, however five days later than they were at the end of the previous four-year cycle. Such a four-year cycle is called *mahzor qatan*.[17]
16. Every 28 years (beginning with the year of Creation) the seasonal points all return to the same day of the week and time of the day as they were at Creation.[18] Such a 28-year cycle is known as *mahzor hatequfot* or *mahzor gadol* (*lahama*).[19] There are seven *mahzorim qetanim* in a *mahzor gadol*.
17. *Conjunction* of the sun and moon is defined as when the sun and moon occupy the same celestial longitude relative to their spheres. Such a conjunction is called *molad* (*halevanah*) ("lunar birth").[20]
18. A *lunar* (*synodic*) *month* extends from the moment of conjunction of the sun and moon to the following conjunction. The length of such a month is 29 days, 12 hours, and 793 *halaqim*, [29d, 12h, 793p].[21] Subtracting multiples of 7 days from the length of a lunar month, we have the *character of*

15. *Ha'ibbur*, p. 2b. See the statement of Shmuel in *'eruvin* 56a.
16. *Ha'ibbur*, p. 6a; *Shalosh She'elot*, p. 2. Calculating 2× [0d, 7h, 540p] + (4d; 0h, 0p) = (4d; 15h, 0p).
17. *Ha'ibbur*, p. 6b. Calculating 4× [1d, 6h, 0p] = [5d, 0h, 0p].
18. 28× [1d, 6h, 0p] = [35d, 0h, 0p], or 5 full weeks with no remainder. Thus every 28 years all the dates in the solar calendar return to their original positions in the week.
19. See Savasorda, *Sefer ha'ibbur*, p. 82.
20. *Ha'ibbur*, p. 3a; *The Sabbath Epistle*, Gate 2.
21. *Ha'ibbur*, forepage. See *Rosh haShana* 25a.

a lunar month: [1d, 12h, 793p].[22] Thus the *molad* advances through the week from month to month by 1 day, 12 hours, and 793 *halaqim*.[23]

19. An *ordinary lunar year* consists of 12 lunar months, or 354 days, 8 hours, and 876 *halaqim*, [354d, 8h, 876p].[24] Subtracting multiples of 7 days from an ordinary lunar year, we have the *character of an ordinary lunar year*: [4d, 8h, 876p].[25]

20. An *embolismic lunar year* consists of 13 lunar months, or 383 days, 21 hours, and 589 *halaqim*, [383d, 21h, 589p].[26] Subtracting multiples of 7 days from the length of an embolismic lunar year, we have the *character of an embolismic lunar year*: [5d, 21h, 589p].[27]

21. A solar year exceeds an ordinary lunar year by 10 days, 21 hours, and 204 *halaqim*, [10d, 21h, 204p].[28] One solar season exceeds one quarter of an ordinary lunar year by 2 days, 17 hours, and 321 *halaqim*, [2d, 17h, 321p].[29]

22. An embolismic lunar year exceeds a solar year by 18 days, 15 hours, and 589 *halaqim*, [18d, 15h, 589p].[30] One quarter of an embolismic lunar year exceeds a solar season by 4 days, 15 hours, and 957¼ *halaqim*, [4d, 15h, 957¼p].[31]

23. A *mahzor* (*hamoladot*) is a 19 year lunar cycle consisting of 12 ordinary lunar years and 7 embolismic lunar years, a total

---

22. *Ha'ibbur*, p. 2a.
23. *Ha'ibbur*, p. 3b.
24. 12× [29d, 12h, 793p] = [354d, 8h, 876p].
25. *Ha'ibbur*, p. 3b.
26. 13× [29d, 12h, 793p] = [383d, 21h, 589p].
27. *Ha'ibbur*, p. 3b.
28. *Ha'ibbur*, p. 5a. Calculating [365d, 6h, 0p] − [354d, 8h, 876p] = [10d, 21h, 204p].
29. [10d, 21h, 204p] ÷4 = [2d, 17h, 321p].
30. [383d, 21h, 589p] − [365d, 6h, 0p] = [18d, 15h, 589p].
31. [18d, 15h, 589p] ÷4 = [4d, 15h, 957¼p].

of 235 lunar months.[32] The embolismic years are the years 3, 6, 8, 11, 14, 17, and 19 of a *mahzor*.[33]

24. The length of a *mahzor* is 6939 days, 16 hours, and 595 *halaqim*, [6939d, 16h, 595p].[34] Deleting multiples of 7 days from a *mahzor*, we obtain the *character of a mahzor*: [2d, 16h, 595p].

25. 19 solar years consists of 6939 days and 18 hours, [6939d, 18h, op].[35] Thus 19 solar years exceeds a lunar *mahzor* of 235 lunar months by one hour and 485 *halaqim*, [od, 1h, 485p].[36]

26. 323 (=19×17) solar years exceeds 17 lunar *mahzorim* by 1 day and 685 *halaqim*, [1d, oh, 685p].[37]

27. *'iggul deRav Nahshon Gaon* is a cycle of 13 lunar *mahzorim*. This cycle contains 247 lunar years, 156 ordinary and 91 embolismic.[38]

28. The length of an *'iggul* is 90215 days, 23 hours, and 175 *halaqim*, [90215d, 23h, 175p].[39] The *character of an 'iggul* is 6 days, 23 hours, and 175 *halaqim*, [6d, 23h, 175p]. This character is deficient from 7 full days by 905 *halaqim*. Thus at the end of each *'iggul* the *molad* returns to the same day of the week and time of the day, less 905 *halaqim*, as it was at the beginning of that *'iggul*.[40]

29. The first *actual molad Tishre* took place in the *same week* as the first autumnal equinox, at the beginning of the third hour after sunrise on Friday, (6d; 14h, op), Jerusalem time. Here Shmuel accepts the figure used by those who say that

---

32. Commentary to Exodus 12:2, Leviticus 25:9.
33. *Ha'ibbur*, forepage and p. 3b.
34. *Ha'ibbur*, p. 3b; commentary to Exodus 12:2. Calculating 235 × [29d, 12h, 793p] = [6939d, 16h, 595p].
35. 19 × [365d, 6h, op] = [6939d, 18h, op].
36. *Ha'ibbur*, p. 5a; commentary to Exodus 12:2.
37. 17 × [od, 1h, 485p] = [1d, oh, 685p].
38. See *Shalosh She'elot*, p. 1.
39. 13 × [6939d, 16h, 595p] = [90215d, 23h, 175p].
40. *Shalosh She'elot*, p. 1.

the universe was created in early autumn, and that the first *molad* was that of *Tishre*, which occurred with the creation of man, at (6d; 14h, 0p).[41] Hence the first actual *molad Tishre* took place one day and 23 hours, [1d, 23h, 0p], after the first autumnal equinox.[42]

30. For purposes of calculation, we consider the primordial *molad* to be that of *Tishre*, one half year *before* Creation. It is set at Sunday night, 5 hours and 204 *halaqim* into the night, (2d; 5h, 204p).[43] This is the starting point for calculating all subsequent *moladim*.

31. In the Hebrew calendar the years are counted beginning with *molad Tishre* of the half-year *before* Creation. Thus year 1 extends from *molad Tishre* prior to Creation until the first *molad Tishre* after Creation.[44] This is also considered year 1 of the first *mahzor*.[45]

We insert here two tables. Table 1 shows the day of the week and time of the day for each *molad* of *shnat tohu*, as well as the span from *molad Tishre* of *shnat tohu* to each *molad*. Table 2 gives the day of the week and time of the day, the date and the span for each seasonal point of *shnat tohu*.

---

41. *Ha'ibbur*, p. 6a.
42. *Ha'ibbur*, p. 6a. Calculating (6d; 14h, 0p) – (4d; 15h, 0p) = [1d, 23h, 0p].
43. *Ha'ibbur*, p. 3b. To obtain this figure, the first actual *molad Tishre* took place at (6d; 14h, 0p). To find the virtual *molad Tishre* for the previous year, subtract the character of an ordinary lunar year,
    (6d; 14h, 0p) – [4d, 8h, 876p] = (2d; 5h, 204p).
44. This year is sometimes called *shnat tohu* ("year of nothingness"). Cf. *Tosafot, Rosh haShana* 8a.
45. See Savasorda, *Sefer ha'ibbur*, p. 85.

TABLE 1

Molad	day of week	time of day	span from molad Tishre of shnat tohu
Tishre (of shnat tohu)	2	5h, 204p	[0d, 0h, 0p]
Marheshvon	3	17h, 997p	[29d, 12h, 793p]
Kislev	5	6h, 710p	[59d, 1h, 506p]
Tevet	6	19h, 423p	[88d, 14h, 219p]
Shevat	1	8h, 136p	[118d, 2h, 1012p]
Adar	2	20h, 929p	[147d, 15h, 725p]
Nisan	4	9h, 642p	[177d, 4h, 438p]
Iyar	5	22h, 355p	[206d, 17h, 151p]
Sivan	7	11h, 68p	[236d, 5h, 944p]
Tamuz	1	23h, 861p	[265d, 18h, 657p]
Av	3	12h, 574p	[295d, 7h, 370p]
Elul	5	1h, 287p	[324d, 20h, 83p]
Tishre (of shnat yishuv)	6	14h, 0p	[354d, 8h, 876p]

TABLE 2

Tequfat	day of week	time of day	date	span from molad Tishre of shnat tohu
{Tishre (immediately preceding shnat tohu)				
	3	9h, 0p	18 Elul	[−12d, −20h, −204p]}
Tevet	3	16h, 540p	21 Kislev	[78d, 11h, 336p]
Nisan	4	0h, 0p	24 Adar	[169d, 18h, 876p]
Tamuz	4	7h, 540p	27 Sivan	[261d, 2h, 336p]
Tishre (end of shnat tohu)				
	4	15h, 0p	28 Elul	[352d, 9h, 876p]

32. The first vernal equinox preceded the first *molad Nisan* by 7 days, 9 hours, and 642 *halaqim*, [7d, 9h, 642p].[46]
33. In the first year of the 124th *mahzor* (2338 A.M., 1422 B.C.E.), *molad Nisan* and the vernal equinox almost coincided, *molad Nisan* preceding the vernal equinox by only 693 *halaqim*.[47] After that date the span from *molad Nisan* to the vernal equinox expanded by about one day every 315 years.[48]
34. In the year 4903 A.M. (1143 C.E.), the first year of the 259th *mahzor* (the *mahzor* in which Ibn Ezra wrote *The Sabbath Epistle*), *molad Nisan* preceded the vernal equinox by 8 days, 4 hours, and 288 *halaqim*.[49]

The following tables show, among other things, according to Shmuel, the span between *molad Nisan* and the corresponding vernal equinox, and the date of the vernal equinox, for the years 4903–4921, the 259th *mahzor*:

---

46. *Ha'ibbur*, p. 5b; *Shalosh She'elot*, p. 2. This figure may be obtained as follows: (I) The first autumnal equinox preceded the first actual *molad Tishre* by [1d, 23h, 0p]. (II) A solar year exceeds an ordinary lunar year by [10d, 21h, 204p]. Thus two solar seasons exceed a lunar half-year by ½ × [10d, 21h, 204p] = [5d, 10h, 642p]. (III) Combining [1d, 23h, 0p] + [5d, 10h, 642p] = [7d, 9h, 642p].
47. 123 × [0d, 1h, 485p] – [7d, 9h, 642p] = [7d, 10h, 255p] – [7d, 9h, 642p] = [0d, 0h, 693p].
48. 1 hour and 485 *halaqim* is 1565 *halaqim*; 1 day is 25920 *halaqim*. Dividing 25920 ÷ 41565 = 16.56 *mahzorim*, approximately 314.68 years.
49. We obtain this figure as follows: (I) 4903 = 258 × 19 + 1. Thus at the time of the vernal equinox, 4903, 258 *mahzorim* had elapsed since the first vernal equinox. (II) Since each *mahzor* has an excess of 1 hour and 485 *halaqim*, multiply 258 × [0d, 1h, 485p] = [15d, 13h, 930p]. (III) Subtracting [7d, 9h, 642p] (the difference between the first vernal equinox and the corresponding *molad Nisan*) from the result in (II), we have [8d, 4h, 288p]. By the year 4903 the vernal equinox had fallen behind, relative to *molad Nisan*, by about 15 (7+8) days since Creation. Thus Ibn Ezra writes: "today [4919] there has accumulated from the [solar] excess approximately one half month" (Gate 1).

TABLE 3

This table lists the years of the 259th *mahzor* and indicates which years were ordinary and which were embolismic.

year	mahzor	year of mahzor	ordinary/ embolismic year
4903	259	1	ordinary
4904	259	2	ordinary
4905	259	3	embolismic
4906	259	4	ordinary
4907	259	5	ordinary
4908	259	6	embolismic
4909	259	7	ordinary
4910	259	8	embolismic
4911	259	9	ordinary
4912	259	10	ordinary
4913	259	11	embolismic
4914	259	12	ordinary
4915	259	13	ordinary
4916	259	14	embolismic
4917	259	15	ordinary
4918	259	16	ordinary
4919	259	17	embolismic
4920	259	18	ordinary
4921	259	19	embolismic

TABLE 4

This table lists the day of the week and time of the day for *molad Tishre*, the day of the week and Civil date for 1 *Tishre*, for each year of the 259th *mahzor*.

	molad Tishre			Civil date of 1 *Tishre*
year	day	time	1 *Tishre*	(mm/dd/yyyy)
4903	3	3h, 354p	Tuesday	09/29/1142
4904	7	12h, 150p	Saturday	09/18/1143
4905	4	20h, 1026p	Thursday	09/07/1144
4906	3	18h, 535p	Thursday	09/27/1145
4907	1	3h, 331p	Monday	09/16/1146
4908	5	12h, 127p	Thursday	09/04/1147
4909	4	9h, 716p	Thursday	09/23/1148
4910	1	18h, 512p	Monday	09/12/1149
4911	7	16h, 21p	Saturday	09/30/1150
4912	5	0h, 897p	Thursday	09/20/1151
4913	2	9h, 693p	Monday	09/03/1152
4914	1	7h, 202p	Monday	09/28/1153
4915	5	15h, 1078p	Thursday	09/16/1154
4916	3	0h, 874p	Tuesday	09/06/1155
4917	1	22h, 383p	Monday	09/24/1156
4918	6	7h, 179p	Saturday	09/14/1157
4919	3	15h, 1055p	Tuesday	09/02/1158
4920	1	13h, 564p	Monday	09/21/1159
4921	5	22h, 360p	Saturday	09/10/1160

TABLE 5

This table lists the day of the week and time of the day for *molad Nisan*, the day of the week and Civil date for 1 *Nisan*, for each year of the 259th *mahzor*.

	molad Nisan			Civil date of 1 Nisan
year	day	time	1 Tishre	(mm/dd/yyyy)
4903	5	7h, 792p	Thursday	03/25/1143
4904	2	16h, 588p	Tuesday	03/14/1144
4905	1	14h, 97p	Tuesday	04/03/1145
4906	5	22h, 973p	Saturday	03/23/1146
4907	3	7h, 769p	Tuesday	03/11/1147
4908	2	5h, 278p	Tuesday	03/30/1148
4909	6	14h, 74p	Saturday	03/19/1149
4910	5	11h, 663p	Thursday	04/06/1150
4911	2	20h, 459p	Tuesday	03/27/1151
4912	7	5h, 255p	Saturday	03/15/1152
4913	6	2h, 844p	Saturday	04/04/1153
4914	3	11h, 640p	Tuesday	03/23/1154
4915	7	20h, 436p	Sunday	03/13/1155
4916	6	17h, 1025p	Saturday	03/31/1156
4917	4	2h, 821p	Thursday	03/21/1157
4918	1	11h, 617p	Sunday	03/09/1158
4919	7	9h, 126p	Saturday	03/28/1159
4920	4	17h, 1002p	Thursday	03/17/1160
4921	3	15h, 511p	Tuesday	04/06/1161

TABLE 6

This table shows the span of time from *molad Nisan* to the corresponding vernal equinox (according to Shmuel) for each year of the 259th *mahzor*.

year	span between *molad Nisan* and vernal equinox
4903	8d, 4h, 288p
4904	19d, 1h, 492p
4905	0d, 9h, 983p
4906	11d, 7h, 107p
4907	22d, 4h, 311p
4908	3d, 12h, 802p
4909	14d, 9h, 1006p
4910	−4d, −5h, −663p
4911	6d, 15h, 621p
4912	17d, 12h, 825p
4913	−1d, −2h, −844p
4914	9d, 18h, 440p
4915	20d, 15h, 644p
4916	2d, 0h, 55p
4917	12d, 21h, 259p
4918	23d, 18h, 463p
4919	5d, 2h, 954p
4920	16d, 0h, 78p
4921	−2d, −15h, −511p

TABLE 7

This table lists the day of the week, time of the day, Hebrew date and Civil (Gregorian) date of the vernal equinox (according to Shmuel), for each year of the 259th *mahzor*.

year	vernal equinox		Hebrew date	Civil date (mm/dd/yyyy)
	day	time		
4903	6	12h, op	9 *Nisan*	04/02/1143[75]
4904	7	18h, op	19 *Nisan*	04/01/1144
4905	2	oh, op	29 *Adar* II	04/01/1145
4906	3	6h, op	11 *Nisan*	04/02/1146
4907	4	12h, op	23 *Nisan*[76]	04/02/1147
4908	5	18h, op	3 *Nisan*	04/01/1148
4909	7	oh, op	15 *Nisan*	04/01/1149
4910	1	6h, op	26 *Adar* II	04/02/1150
4911	2	12h, op	7 *Nisan*	04/02/1151
4912	3	18h, op	18 *Nisan*	04/01/1152
4913	5	oh, op	28 *Adar* II	04/01/1153
4914	6	6h, op	11 *Nisan*	04/02/1154
4915	7	12h, op	21 *Nisan*	04/02/1155
4916	1	18h, op	2 *Nisan*	04/01/1156
4917	3	oh, op	13 *Nisan*	04/01/1157

50. In the year 4903, according to Shmuel the vernal equinox would have been 9 *Nisan*, at (6d; 12h, op) of the week. According to Rav Adda the vernal equinox would have been 29 *Adar*, at (4d; 22h, 150p) of the previous week (see Appendix B, Table 8). The difference between these figures is [7d, oh, op] + (6d; 12h, op) − (4d; 22h, 150p) = (8d; 13h, 930p), almost 8½ days. Thus we find Ibn Ezra writing some 20 years later: "Today there is a difference of close to nine days between the true cycle (Rav Adda's) and his (Shmuel's) cycle" (Commentary to Exodus 12:2).

51. This date is mentioned by Ibn Ezra: "In the fifth year of our *mahzor*, which is the year 4907 from creation of the universe, the vernal equinox, according to Shmuel, will be at the beginning of the fourth day, 23 days in *Nisan*" (Ha'ibbur, p. 9a).

4918	4	6h, op	25 Nisan[77]	04/02/1158[78]
4919	5	12h, op	5 Nisan	04/01/1159
4920	6	18h, op	16 Nisan	04/01/1160
4921	1	oh, op	28 Adar II	04/03/1161

---

52. Ibn Ezra also mentions this date: "last year (4918) spring began on the 25th of *Nisan*" (*The Sabbath Epistle*, Gate 1).

53. Referring to the vernal equinox for 4918, Ibn Ezra writes: "Even the simplest of simpletons can see that the day and night were equal close to eleven days" (*Ha'ibbur*, p. 8b).

TABLE 8

For comparison purposes we add Table 8, which lists the day of the week, time of the day, Hebrew date and Civil date for the vernal equinox (according to Shmuel) for each year of the (current) 304th *mahzor.*

	vernal equinox			Civil date
year	day	time	Hebrew date	(mm/dd/yyyy)
5758	4	6h, op	12 *Nisan*	04/08/1998
5759	5	12h, op	21 *Nisan*	04/07/1999
5760	6	18h, op	2 *Nisan*	04/07/2000
5761	1	oh, op	15 *Nisan*	04/07/2001
5762	2	6h, op	25 *Nisan*	04/07/2002
5763	3	12h, op	6 *Nisan*	04/08/2003
5764	4	18h, op	16 *Nisan*	04/07/2004
5765	6	oh, op	28 *Adar* II	04/07/2005
5766	7	6h, op	10 *Nisan*	04/08/2006
5767	1	12h, op	20 *Nisan*	04/08/2007
5768	2	18h, op	2 *Nisan*	04/07/2008
5769	4	oh, op	14 *Nisan*	04/07/2009
5770	5	6h, op	23 *Nisan*	04/07/2010
5771	6	12h, op	4 *Nisan*	04/08/2011
5772	7	18h, op	15 *Nisan*	04/07/2012
5773	2	oh, op	27 *Nisan*	04/06/2013
5774	3	6h, op	8 *Nisan*	04/08/2014
5775	4	12h, op	19 *Nisan*	04/08/2015
5776	5	18h, op	1 *Nisan*	04/09/2016

Comparing Tables 7 and 8, we see that the Hebrew dates for the vernal equinoxes over about eight and one-half centuries lagged by about 3 days, as would be expected.[54] More striking is the shift in the Civil dates of the vernal equinoxes, which drift later and later in the year, delayed by about one day every 128 years.[55] This agrees with Ibn Ezra's comment that relative to the Julian calendar,[56] spring begins one day earlier every 130 years (Ha'ibbur, p. 9b).

---

54. $5758 - 4903 = 855$ years, and $855 \div 315 \sim 2.7$ days.
55. The currently accepted value for a tropical year is approximately 365.2422 days. This differs from Shmuel's value of 365.25 days by about 0.0078 day per year. Calculating the proportion 1 year ÷ 0.0078 day = x years ÷ 1 day, we have $x \sim 128.2051$ years. Thus, according to Shmuel, the vernal equinox is delayed relative to the Civil calendar by approximately one day every 128 years. In the 855 years from 4903 to 5758, the vernal equinox was delayed from April 2 to April 8, six days.
56. The Julian calendar also defined a solar year as 365¼ days (as did Shmuel). In 1582 the Church replaced the Julian calendar with the more accurate Gregorian calendar.

APPENDIX B

We summarize the opinion of Rav Adda and its consequences, as interpreted by Ibn Ezra:

1. The Talmud records a debate among the Rabbis of the Mishna whether the universe was created in early spring (*Nisan*) or in early autumn (*Tishre*).
2. Rav Adda adopted the view that the universe was created in early spring.[1] However, when it comes to calculating the New Moon and counting the years from Creation, he accommodated the opposing opinion, as we shall see.
3. A *week* (w) consists of 7 days, a *day* (d) (or *nychthemeron*) of 24 hours, an *hour* (h) of 1080 *halaqim* (*parts*, p), a *heleq* of 76 *rega'im* (*secondary parts*, s).
4. All times are given relative to Jerusalem.
5. A 24-hour day extends from six hours after noon of one day to six hours after noon of the following day. A week is the period from six hours after noon of one Saturday to six hours after noon of the following Saturday.
6. A *solar year* is defined as the period from one vernal equinox to the following vernal equinox (*tropical*).[2]

1. *Ha'ibbur*, p. 6b.
2. *Ha'ibbur*, p. 8a; *The Sabbath Epistle*, Gate 1.

7. The length of a solar year is exactly 365 days, 5 hours, 997 *halaqim*, and 48 *rega'im*, [365d, 5h, 997p, 48s].[3] Subtracting multiples of 7 days (one week) from the number of days of a solar year, we have the *character of a solar year*: one day, 5 hours, 997 *halaqim*, and 48 *rega'im*, [1d, 5h, 997p, 48s].
8. The solar year is divided into four equal (*solar*) *seasons* (*tequfot*): spring (*tequfat Nisan*), summer (*tequfat Tamuz*), autumn (*tequfat Tishre*), and winter (*tequfat Tevet*).
9. Spring begins with the vernal (spring) equinox, summer with the summer solstice, autumn with the autumnal equinox, and winter with the winter solstice.[4] In terms of zodiacal signs, spring begins when the sun enters the sign of Aries, summer when the sun enters Cancer, autumn when the sun enters Libra, and winter when the sun enters Capricorn.
10. The length of each season is 91 days, 7 hours, 519 *halaqim*, and 31 *rega'im*, [91d, 7h, 519p, 31s].[5] Subtracting multiples of 7 days from the length of a season, we have the *character of a season*: 0 days, 7 hours, 519 *halaqim*, and 31 *rega'im*, [0d, 7h, 519p, 31s].
11. The luminaries were created the beginning of Tuesday night of the week of Creation, and the first vernal equinox took

---

3. *Ha'ibbur*, p. 6b. Rav Adda's figure is based on the tradition that 19 solar years equals exactly one lunar *mahzor* of 235 months. Since a lunar month is [29d, 12h, 793p, 0s], we have 235 × [29d, 12h, 793p, 0s] = [6939d, 16h, 595p, 0s]. Dividing by 19, we have Rav Adda's figure for a solar year, approximately 365.2468 days, or [365d, 5h, 997p, 48s]. Rabbi Yosef Tov 'elem (*Tzafnat Pa'neah*, vol. 2, p. 36) quotes from Ibn Ezra's *Yesod ha'ibbur* (not found in our editions) that according to Rav Adda a solar year is close to 365 + ¼ − 1⁄320 of a day, or approximately 365.2469 days. Shmuel's solar year exceeds Rav Adda's by 82 *halaqim* and 28 *rega'im*, [365d, 6h, 0p, 0s] − [365d, 5h, 997p, 48s] = [0d, 0h, 82p, 28s] (*Ha'ibbur*, p. 6b).
4. *The Sabbath Epistle*, Introduction.
5. See Savasorda, *Sefer ha'ibbur*, p. 87. Calculating [365d, 5h, 997p, 48s] ÷ 4 = [91d, 7h, 519p, 31s]. Note that each season of Shmuel exceeds that of Rav Adda by 20 *halaqim* and 45 *rega'im*, [91d, 7h, 540p, 0s] − [91d, 7h, 519p, 31s] = [0d, 0h, 20p, 45s].

place at the moment of their creation, at (4d; oh, op, os), Jerusalem time.[6] That seasonal point is considered the primordial seasonal point, and all subsequent seasonal points are counted from that first vernal equinox.

12. The annual cycle of solar seasons begins with the vernal equinox, and that seasonal point is considered the first seasonal point of a solar year.

13. The first (*actual*) autumnal equinox took place two seasons after the first vernal equinox on Wednesday morning at (4d; 14h, 1038p, 62s).[7]

14. The seasonal points all return to their original time of the day (but not to their original day of the week) every 98496 years.[8] They return to their original day of the week and time of the day every $7 \times 98496 = 689472$ years.

15. *Conjunction* of the sun and moon is defined as when the sun and moon occupy the same celestial longitude relative to their spheres. Such a conjunction is called *molad* (*halevanah*) ("lunar birth").

16. A *lunar* (*synodic*) *month* extends from the moment of conjunction of the sun and moon until the following conjunction. The length of such a month is 29 days, 12 hours, and 793 *halaqim*, [29d, 12h, 793p, 0s]. Subtracting multiples of 7 days from the length of a lunar month, we have the *character of a lunar month*: [1d, 12h, 793p, 0s]. Thus the *molad* advances through the week from month to month by 1 day, 12 hours, and 793 *halaqim*.

---

6. *Ha'ibbur*, p. 6b.

7. Calculating $2 \times$ [0d, 7h, 519p, 31s] + (4d; 0h, 0p, 0s) = (4d; 14h, 1038p, 62s).

8. Every year the seasons shift forward [1d, 5h, 997p, 48s]. Disregarding the one day, we have $5h + 997p + 48s = \frac{5}{24} + 997/(24 \times 1080) + 48/(76 \times 24 \times 1080) = 486220/1969920 = 24311/98496$ of a day. This will first become a whole number after 98496 years.

17. An *ordinary lunar year* consists of 12 lunar months, or 354 days, 8 hours, and 876 *halaqim*, [354d, 8h, 876p, 0s].[9] Subtracting multiples of 7 days from an ordinary lunar year, we have the *character of an ordinary lunar year*: [4d, 8h, 876p, 0s].[10]

18. An *embolismic lunar year* consists of 13 lunar months, or 383 days, 21 hours, and 589 *halaqim*, [383d, 21h, 589p, 0s].[11] Subtracting multiples of 7 days from the length of an embolismic lunar year, we have the *character of an embolismic lunar year*: [5d, 21h, 589p, 0s].

19. A solar year exceeds an ordinary lunar year by [10d, 21h, 121p, 48s].[12] One solar season exceeds a quarter of an ordinary lunar year by 2 days, 17 hours, 300 *halaqim*, and 31 *rega'im*, [2d, 17h, 300p, 31s].[13]

20. An embolismic lunar year exceeds a solar year by [18d, 15h, 671p, 28s].[14] One quarter of an embolismic lunar year exceeds a solar season by 4 days, 15 hours, 977 *halaqim*, and 64 *rega'im*, [4d, 15h, 977p, 64s].[15]

21. A *mahzor* (*hamoladot*) is a 19 year lunar cycle consisting of 12 ordinary lunar years and 7 embolismic lunar years, a total of 235 months. The embolismic years are the years 3, 6, 8, 11, 14, 17, and 19 of a *mahzor*.

22. The length of a *mahzor* is 6939 days, 16 hours, and 595 *halaqim*, [6939d, 16h, 595p, 0s].[16] Deleting multiples of 7

---

9.   12 × [29d, 12h, 793p, 0s] = [354d, 8h, 876p, 0s].
10. *Ha'ibbur*, p. 6b.
11. 13 × [29d, 12h, 793p, 0s] = [383d, 21h, 589p, 0s].
12. *Ha'ibbur*, p. 6b. Cf. Maimonides, *Mishne Torah*, Sanctification of the New Moon 10:1. Calculating [365d, 5h, 997p, 48s] – [345d, 8h, 876p, 0s] = [10d, 21h, 121p, 48s].
13. *Ha'ibbur*, p. 6b. Cf. Savasorda, *Sefer ha'ibbur*, pp. 87–88. Calculating [10d, 21h, 121p, 48s] ÷ 4 = [2d, 17h, 300p, 31s].
14. [383d, 21h, 589p, 0s] – [356d, 5h, 997p, 48s] = [18d, 15h, 671p, 28s].
15. [18d, 15h, 671p, 28s] ÷ 4 = [4d, 15h, 977p, 64s].
16. 235 × [29d, 12h, 793p, 0s] = [6939d, 16h, 595p, 0s].

days from a *mahzor*, we obtain the *character of a mahzor*: [2d, 16h, 595p, 0s].

23. 19 solar years consists of 6939 days, 16 hours, and 595 *halaqim*, [6939d, 16h, 595p, 0s].[17] Thus 19 solar years equals exactly a lunar *mahzor* of 235 lunar months.[18]

24. *'iggul deRav Nahshon Gaon* is a cycle of 13 lunar *mahzorim*. This cycle contains 247 lunar years, 156 ordinary and 91 embolismic.

25. The length of an *'iggul* is 90215 days, 23 hours, and 175 *halaqim*, [90215d, 23h, 175p, 0s].[19] The *character of an 'iggul* is 6 days, 23 hours, and 175 *halaqim*, [6d, 23h, 175p, 0s]. This character is deficient from 7 full days by 905 *halaqim*. Thus at the end of each *'iggul*, the *molad* returns to the same day of the week and time of the day, less 905 *halaqim*, as it was at the beginning of that *'iggul*.

26. The first *actual molad Tishre* took place at the beginning of the third hour after sunrise on Friday, (6d; 14h, 0p, 0s), Jerusalem time, of the *week before* the first autumnal equinox.[20] Here Rav Adda accepts the figure used by those who say that the universe was created in early autumn, and that the first *molad* was that of *Tishre*, which occurred with the creation of man, at (6d; 14h, 0p, 0s). Thus the first actual *molad Tishre* preceded the first autumnal equinox by 5 days, 0 hours, 1038 *halaqim*, and 62 *rega'im*, [5d, 0h, 1038p, 62s].[21]

27. For purposes of calculation, we consider the primordial *molad* to be that of *Tishre*, one half year *before* Creation. It is set at Sunday night, 5 hours and 204 *halaqim* into the night,

---

17. $19 \times [365d, 5h, 997p, 48s] = [6939d, 16h, 595p, 0s]$.
18. Commentary to Exodus 12:2. This is actually the basis for Rav Adda's figure of a solar year. See note 3.
19. $13 \times [6939d, 16h, 595p, 0s] = [90215d, 23h, 175p, 0s]$.
20. *Ha'ibbur*, p. 6b.
21. $(4d; 14h, 1038p, 62s) + [7d, 0h, 0p, 0s] - (6d; 14h, 0p, 0s) = [5d, 0h, 1038p, 62s]$.

(2d; 5h, 204 p, os).[22] This is the starting point for calculating all subsequent *moladim*.

28. In the Hebrew calendar, the years are counted beginning with *molad Tishre* of the half-year *before* Creation. Therefore, year one extends from *molad Tishre* prior to Creation until the first *molad Tishre* after Creation.[23] This is also considered year 1 of the first *mahzor*.

We insert here two tables. Table 1 shows the day of the week and time of the day for each *molad* of *shnat tohu*, as well as the span from *molad Tishre* of *shnat tohu* to each *molad*. Table 2 gives the day of the week and time of the day, the date and the span for each seasonal point of *shnat tohu*.

---

22. To obtain this figure, the first actual *molad Tishre* took place at (6d; 14h, op, os). To find the virtual *molad Tishre* for the previous year, subtract the character of an ordinary lunar year, (6d; 14h, op, os) – [4d, 8h, 876p, os] = (2d; 5h, 204p, os).

23. This year is sometimes called *shnat tohu* ("year of nothingness").

TABLE 1

Molad	day of week	time of day	span from *molad* *Tishre* of *shnat tohu*
Tishre (of *shnat tohu*)	2	5h, 204p, 0s	[0d, 0h, 0p, 0s]
Marheshvon	3	17h, 997p, 0s	[29d, 12h, 793p, 0s]
Kislev	5	6h, 710p, 0s	[59d, 1h, 506p, 0s]
Tevet	6	19h, 423p, 0s	[88d, 14h, 219p, 0s]
Shevat	1	8h, 136p, 0s	[118d, 2h, 1012p, 0s]
Adar	2	20h, 929p, 0s	[147d, 15h, 725p, 0s]
Nisan	4	9h, 642p, 0s	[177d, 4h, 438p, 0s]
Iyar	5	22h, 355p, 0s	[206d, 17h, 151p, 0s]
Sivan	7	11h, 68p, 0s	[236d, 5h, 944p, 0s]
Tamuz	1	23h, 861p, 0s	[265d, 18h, 657p, 0s]
Av	3	12h, 574p, 0s	[295d, 7h, 370p, 0s]
Elul	5	1h, 287p, 0s	[324d, 20h, 83p, 0s]
Tishre (of *shnat yishuv*)	6	14h, 0p, 0s	[354d, 8h, 876p, 0s]

TABLE 2

Tequfat	day of week	time of day	date	span from *molad* *Tishre* of *shnat tohu*
Tishre (immediately preceding *shnat tohu*)				
	3	9h, 41p, 14s	25 *Elul*	[−5d, −20h, −162p, −62s]}
Tevet	3	16h, 560p, 45s	28 *Kislev*	[85d, 11h, 356p, 45s]
Nisan	4	0h, 0p, 0s	29 *Adar*	[176d, 18h, 876p, 0s]
Tamuz	4	7h, 519p, 31s	4 *Tamuz*	[268d, 2h, 315p, 31s]
Tishre (immediately following *shnat yishuv*)				
	4	14h, 1038p, 62s	6 *Tishre*	[359d, 9h, 834p, 62s]

29. The first vernal equinox preceded the first *molad Nisan* by 9 hours and 642 *halaqim*, [0d, 9h, 642p, 0s].[24] The same is true for the first year of each *mahzor*. Hence, in the first year of a *mahzor*, the vernal equinox is always 29 days, 3 hours and 151 *halaqim*, [29d, 3h, 151p, 0s] after *molad Adar*.[25]

We now offer tables relative to Rav Adda's cycle. First note that Tables 3, 4, and 5 of Appendix A apply equally well to Rav Adda's cycle as they do to Shmuel's cycle. The following tables show, among other things, according to Rav Adda the span of time between *molad Nisan* and the corresponding vernal equinox, and the date of the vernal equinox, for the years 4903–4921, the 259th *mahzor*:

---

24. *Ha'ibbur*, p. 6b. This figure may be obtained as follows: (I) The first actual *molad Tishre* proceeded the first autumnal equinox by [5d, 0h, 1038p, 62s]. (II) A solar year exceeds an ordinary lunar year by [10d, 21h, 121p, 48s]. Thus, two solar seasons exceed a lunar half-year by ½ × [10d, 21h, 121p, 48s] = [5d, 10h, 600p, 62s]. (III) Subtracting [5d, 10h, 600p, 62s] − [5d, 0h, 1038p, 62s] = [0d, 9h, 642p, 0s].

25. See Savasorda, *Sefer ha'ibbur*, p. 82. Calculating [29d, 12h, 793p, 0s] − [0d, 9h, 642p, 0s] = [29d, 3h, 151p, 0s].

TABLE 3

This table applies to every *mahzor*, and shows, for each year in a *mahzor*, the span of time from *molad Nisan* to the corresponding vernal equinox (according to Rav Adda).

year of *mahzor*	ordinary/ embolismic	span between *molad Nisan* and vernal equinox
1	ordinary	0d, −9h, −642p, 0s
2	ordinary	10d, 11h, 559p, 48s
3	embolismic	−8d, −4h, −111p, −56s
4	ordinary	2d, 17h, 9p, 68s
5	ordinary	13d, 14h, 131p, 40s
6	embolismic	−5d, −1h, −539p, −64s
7	ordinary	5d, 19h, 661p, 60s
8	embolismic	−12d, −20h, −9p, −44s
9	ordinary	−1d, −22h, −967p, −72s
10	ordinary	8d, 22h, 233p, 52s
11	embolismic	−9d, −17h, −437p, −52s
12	ordinary	1d, 3h, 763p, 72s
13	ordinary	12d, 0h, 885p, 44s
14	embolismic	−6d, −14h, −865p, −60s
15	ordinary	4d, 6h, 335p, 64s
16	ordinary	15d, 3h, 457p, 36s
17	embolismic	−3d, −12h, −213p, −68s
18	ordinary	7d, 8h, 987p, 56s
19	embolismic	−11d, −6h, −763p, −48s

TABLE 4

This table shows the span from *molad Nisan* to the corresponding vernal equinox (according to Rav Adda) specifically for each year of the 259th *mahzor*.

year	year of *mahzor*	ordinary/ embolismic	span between *molad Nisan* and vernal equinox
4903	1	ordinary	0d, −9h, −642p, 0s
4904	2	ordinary	10d, 11h, 559p, 48s
4905	3	embolismic	−8d, −4h, −111p, −56s
4906	4	ordinary	2d, 17h, 9p, 68s
4907	5	ordinary	13d, 14h, 131p, 40s
4908	6	embolismic	−5d, −1h, −539p, −64s
4909	7	ordinary	5d, 19h, 661p, 60s
4910	8	embolismic	−12d, −20h, −9p, −44s
4911	9	ordinary	−1d, −22h, −967p, −72s
4912	10	ordinary	8d, 22h, 233p, 52s
4913	11	embolismic	−9d, −17h, −437p, −52s
4914	12	ordinary	1d, 3h, 763p, 72s
4915	13	ordinary	12d, 0h, 885p, 44s
4916	14	embolismic	−6d, −14h, −865p, −60s
4917	15	ordinary	4d, 6h, 335p, 64s
4918	16	ordinary	15d, 3h, 457p, 36s
4919	17	embolismic	−3d, −12h, −213p, −68s
4920	18	ordinary	7d, 8h, 987p, 56s
4921	19	embolismic	−11d, −6h, −763p, −48s

TABLE 5

This table shows the day of the week, time of the day, Hebrew date and Civil (Gregorian) date for the vernal equinox (according to Rav Adda) for each year of the 259th *mahzor*.[26]

	vernal equinox			Civil date
year	day	time	Hebrew date	(mm/dd/yyyy)
4903	4	22h, 150p, 0s	29 *Adar*	03/24/1143
4904	6	4h, 67p, 48s	11 *Nisan*	03/24/1144
4905	6	23h, 1065p, 20s	19 *Adar* II	03/23/1145
4906	1	15h, 982p, 68s	2 *Nisan*	03/24/1146
4907	2	21h, 900p, 40s	14 *Nisan*[27]	03/24/1147
4908	4	3h, 818p, 12s	24 *Adar* II	03/24/1148
4909	5	9h, 735p, 60s	6 *Nisan*	03/24/1149
4910	6	15h, 653p, 32s	17 *Adar* II	03/24/1150
4911	7	21h, 571p, 4s	27 *Adar*	03/24/1151
4912	2	3h, 488p, 52s	10 *Nisan*	03/24/1152
4913	3	9h, 406p, 24s	19 *Adar* II	03/24/1153
4914	4	15h, 323p, 72s	2 *Nisan*	03/24/1154
4915	5	21h, 241p, 44s	12 *Nisan*	03/24/1155
4916	7	3h, 159p, 16s	23 *Adar* II	03/24/1156
4917	1	9h, 76p, 64s	4 *Nisan*	03/24/1157
4918	2	14h, 1074p, 36s	16 *Nisan*	03/24/1158
4919	3	11h, 992p, 8s	26 *Adar* II	03/24/1159
4920	5	2h, 909p, 56s	8 *Nisan*	03/24/1160
4921	6	8h, 827p, 28s	19 *Adar* II	03/26/1161

---

26. These tables confirm the accuracy of Ibn Ezra's conclusion: "the cycle of Rav Adda is more correct than that of Shmuel, for the beginning of spring will not go beyond the given date (16 days in *Nisan*)" (*The Sabbath Epistle*, Gate 1).

27. In *Sefer ha'ibbur* (p. 9b) Ibn Ezra writes with regard to Rav Adda's cycle: "the equinox (of 4907) will be the first day of the feast of *Matzos*."

TABLE 6

For comparison purposes we present a table showing the day of the week, time of the day, Hebrew date and Civil date for vernal equinoxes of the 304th *mahzor* (according to Rav Adda).

| | vernal equinox | | | Civil date |
year	day	time	Hebrew date	(mm/dd/yyyy)
5758	6	22h, 1005p, 0s	30 *Adar*	03/28/1998
5759	1	4h, 922p, 48s	11 *Nisan*	03/28/1999
5760	2	10h, 840p, 20s	22 *Adar* II	03/29/2000
5761	3	16h, 757p, 68s	3 *Nisan*	03/27/2001
5762	4	22h, 675p, 40s	14 *Nisan*	03/27/2002
5763	6	4h, 593p, 12s	25 *Adar* II	03/29/2003
5764	7	10h, 510p, 60s	5 *Nisan*	03/27/2004
5765	1	16h, 428p, 32s	16 *Adar* II	03/27/2005
5766	2	22h, 346p, 4s	28 *Adar*	03/28/2006
5767	4	4h, 263p, 52s	9 *Nisan*	03/28/2007
5768	5	10h, 181p, 24s	21 *Adar* II	03/28/2008
5769	6	16h, 98p, 72s	2 *Nisan*	03/27/2009
5770	7	22h, 16p, 44s	12 *Nisan*	03/27/2010
5771	2	3h, 1014p, 16s	23 *Adar* II	03/29/2011
5772	3	9h, 931p, 64s	4 *Nisan*	03/27/2012
5773	4	15h, 849p, 36s	16 *Nisan*	03/27/2013
5774	5	21h, 767p, 8s	26 *Adar* II	03/28/2014
5775	7	3h, 684p, 56s	8 *Nisan*	03/28/2015
5776	1	9h, 602p, 28s	20 *Adar* II	03/30/2016

Comparing Tables 5 and 6, we see that the Hebrew date for the vernal equinox remains reasonably constant, as would be expected. However, there is a noticeable shift in the Civil date of the vernal equinox, according to Rav Adda, with this equinox being delayed relative to the Civil calendar by about one day every 217 years.[28]

---

28. The currently accepted value for a tropical year is approximately 365.2422 days. This differs from Rav Adda's value of approximately 365.2468 days by about 0.0046 day per year. Calculating the proportion 1 year ÷ 0.0046 day = x years ÷ 1 day, we have $x \sim 217.3913$ years. Thus, according to Rav Adda, the vernal equinox shifts later relative to the Civil calendar approximately one day every 217 years. Using the example of the years 4903 and 5758, 5758 − 4903 = 855 years, and 855 ÷ 217.3913 ~ 3.9330, we see that there was a delay of about four days over this period of time. Thus we find Ibn Ezra writing with regard to the 259th *mahzor*: "There is a difference of four days between the true vernal equinox and that of Rav Adda" (*Ha'ibbur*, p. 10a).

——— ABBREVIATIONS ———

A.M.: *Anno Mundo* (year of the world, year from Creation)
B.C.E.: Before the Common Era
C.E.: Common Era

BIBLIOGRAPHY

HEBREW SOURCES

רבי אברהם בר חייא הנשיא (Savasorda), *חשבון מהלכות הכוכבים*, ליוורנו, תרכ"ה (דפוס צילום: תשס"ז).

רבי אברהם בר חייא הנשיא, *ספר העבור*, מהדורת צבי פיליפאווסקי, לונדון, 1851 (דפוס צילום: תשס"ז).

רבי אברהם בר חייא הנשיא, *צורת הארץ ותבנית כדורי הרקיע וסדר מהלך כוכביהם*, מהדורת שבתאי מונסטרות, 1546 (דפוס צילום: הוצאת מקור, ירושלים, תשל"א).

רבי אברהם בר חייא הנשיא, *צורת הארץ ותבנית השמים*, מהדורת יהונתן מראדנאיה, אופיבאך, שנת ת"פ (דפוס צילום: תשס"ז).

רבי אברהם אבן עזרא, *אגרת השבת*, נדפס בתוך *ילקוט אברהם אבן עזרא*, בעריכת ישראל לוין, הוצאת קרן ישראל מץ, ישראל, תשמ"ה/1985, עמ' 133-136.

רבי אברהם אבן עזרא, *אגרת השבת*, מהדורת שמואל דוד לוצאטו, *כרם חמד*, מחברת ד (תקצ"ט/1839), פראג, מכתב כב.

רבי אברהם אבן עזרא, *אגרת השבת*, מהדורת מיכאל פרידלנדר, נדפס בתוך "Ibn Ezra in England," Transactions of the Jewish Historical Society of England, חלק ב, 1894–1895, London, עמ' 1-75.

רבי אברהם אבן עזרא, *ספר בטעמי לוחות אלכוארזמי לאבן אלמתני*,

מהדורת ברוך רפאל גולדשטיין, הוצאת ייאל אוניברסיטת, ניו־היוון, תשכ"ז/1967.

רבי אברהם אבן עזרא, *ספר הטעמים, נוסח ראשון*, מהדורת יהודה ליב פליישר, ירושלים, תשי"א.

רבי אברהם אבן עזרא, ספר הטעמים, *נוסח שני*, מהדורת נפתלי בן־מנחם, הוצאת מוסד הרב קוק, ירושלים, תש"א/.1941

רבי אברהם אבן עזרא, *ספר יסוד מורא וסוד תורה*, מהדורת יוסף כהן, אוניברסיטת בר־אילן, רמת גן, תשס"ב.

רבי אברהם אבן עזרא, *ספר כלי נחושת*, מהדורת צבי הירש חן טוב (עדלמאן), קעניגסבערג, תר"ה/1845 (דפוס צילום: בתוך *כתבי ר' אברהם אבן עזרא*, חלק שני, הוצאת מקור, ירושלים, תש"ל).

רבי אברהם אבן עזרא, *ספר המאורות*, מהדורת יהודה ליב פליישער, סיני, *שנה ה* (תרצ"ב), בוקרשט, צד העברי, עמ' 39-51.

רבי אברהם אבן עזרא, *ספר המולדות*, מהדורת מאיר בקאל, נדפס בתוך סדר *12 המזלות החדש והשלם*, בעריכת מאיר בקאל, ירושלים, תשנ"ה/1995, חלק ב, עמ' קצ"א-רמ"ח.

רבי אברהם אבן עזרא, *ספר משפטי המזלות*, מהדורת מאיר בקאל, נדפס בתוך סדר *12 המזלות החדש והשלם*, בעריכת מאיר בקאל, ירושלים, תשנ"ה/1995, חלק ב, עמ' קנ"ג-קפ"ט.

רבי אברהם אבן עזרא, *ספר העולם*, מהדורת יהודה ליב פליישער, נדפס בירחון אוצר החיים, לעהרנרייך, *שנה יג* (תרצ"ז/1937, עמ' 33-94) דפוס צילום: בתוך *כתבי ר' אברהם אבן עזרא*, חלק ראשון, הוצאת מקור, ירושלים, תש"ל).

רבי אברהם אבן עזרא, *ספר העיבור*, מהדורת שלמה זלמן חיים הלברשטם, ליק, תרל"ד/1874 (דפוס צילום: בתוך *כתבי ר' אברהם אבן עזרא*, חלק שני, הוצאת מקור, ירושלים, תש"ל).

רבי אברהם אבן עזרא, *פירוש רבנו אברהם אבן עזרא על ישעיה*, מהדורת מיכאל פריעדלאנדער, לונדון, 1873) דפוס צילום: הוצאת פלדהיים, ירושלים, אין תאריך).

רבי אברהם אבן עזרא, *פירוש ראב"ע לספרי נ"ך*, מקראות גדולות, הוצאת לובלין, שנים שונות.

רבי אברהם אבן עזרא, *פירושי התורה לרבינו אברהם אבן עזרא*, מהדורת אשר וייזר, הוצאת מוסד הרב קוק, ירושלים, תשל"ו/1976.

רבי אברהם אבן עזרא, ספר *ראשית חכמה*, מהדורת פרנצסקו קנטרה ורפאל לוי, בלטימור, 1939.

רבי אברהם אבן עזרא, *שלש שאלות*, נדפס בתוך *שני המאורות*, בעריכת משה שטיינשניידער, ברלין, תר"ז/1847, עמ' א-ו (דפוס צילום: הוצאת ציון, תל אביב, תשל"ב).

רבי אברהם אבן עזרא, *ספר השם*, נדפס בתוך *ילקוט אברהם אבן עזרא*, בעריכת ישראל לוין, הוצאת קרן ישראל מץ, ישראל, תשמ"ה/1985, עמ' 417-438.

רבי אברהם אבן עזרא, *שני פירושי ר' אברהם אבן עזרא לתרי עשר*, כרך א – הושע, יואל, עמוס, מהדורת אוריאל סימון, הוצאת אוניברסיטת בר־אילן, רמת גן, תשמ"ט/1989.

רבי אברהם אבן עזרא, *Reime und Gedichte des Abraham Ibn Ezra*, בעריכת דוד רוזין, חלק ב, ברסלא, 1887.

אוצר הגאונים, בעריכת בנימין מנשה לוין, ראש השנה, ירושלים, תרצ"ג.

ברייתא דשמואל הקטן, מהדורת אריה ליב ליפקין, פיטרקוב, תרס"ב.

רבי יוסף טוב עלם, צפנת פענח, מהדורת דוד הערצאג, קראקא, תרע"ב (דפוס צילום: חיפה, תשכ"ז).

מדרש רבה, הוצאת ענפים, ניו יורק, תשי"ז.

מדרש תנחומא, הוצאת אשכול, ירושלים, תשל"ב.

רבי משה בן מימון (Maimonides), *משנה עם פירוש רבינו משה בן מימון*, תרגום ר' יוסף קאפח, הוצאת מוסד הרב קוק, ירושלים, תשכ"ה.

רבי משה בן מימון, *משנה תורה*, הוצאת מוסד הרב קוק, ירושלים, תשמ"ה.

רבינו סעדיה גאון, פירושי רב סעדיה גאון *לבראשית*, בית המדרש לרבנים באמריקה, ניו יורק, תשמ"ד.

פאזנאנסקי, שמואל, *מבוא על חכמי צרפת מפרשי המקרא*, הוצאת חברת מקיצי נרדמים, ווארשא, תרע"ג/1913 (דפוס צילום: ירושלים, תשכ"ה).

פליישער, יהודה ליב, "רבנו אברהם אבן עזרא ומלאכתו הספרותית בארץ אנגליה", *אוצר החיים*, חלק ז (תרצ"א/1931), עמ' 129-133, 160-168.

רבי שמואל בן מאיר (רשב"ם), *פירוש רשב"ם על התורה*, מהדורת דוד ראזין, ברעסלויא, תרמ"ב (דפוס צילום: הוצאת אום, ניו יורק, תש"ט).

רבי שמעון בן צמח דוראן, *ספר התשב"ץ*, הוצאת מכון אור המזרח, ירושלים, תשנ"ח-תשס"ז.

ENGLISH SOURCES

Berry, Arthur, *A Short History of Astronomy*, Dover Publications, New York, 1961.

Encyclopedia Judaica, second edition, 2007.

Evans, James, *The History and Practice of Ancient Astronomy*, Oxford University Press, 1998.

Friedlander, Michael, "Ibn Ezra in England," *The Jewish Historical Society of England, Transactions*, volume 2 (1894–5), London.

Graetz, Heinrich, *History of the Jews*, Philadelphia, 1956.

Neugerbauer, Otto, *The Exact Sciences in Antiquity*, second edition, Dover Publications, 1969.

Ptolemy, Claudus, *The Geography*, translated and edited by Edward Luther Stevenson, Dover Publications, New York, 1991.

Ptolemy, Claudius, *Ptolemy's Almagest*, translated and annotated by G.J. Toomer, Princeton University Press, 1998.

Reingold, Edward and Nachum Dershowitz, *Calendrical Calculations*, Cambridge University Press, 2002.

Walker, John, *Inconstant Moon* http://www.fourmilab.ch/earthview/moon_ap_per.html, 1997.

אגרת השבת

לרבי אברהם אבן עזרא

פירשתיו במקומו. על כן אמר המלאך "ומראה הערב והבקר אשר נאמר אמת הוא". ופירושו, אין צרך לפרש כי כן הם ימים שלמים כאשר נאמר לך.[53]

נשלמה בחפזון זאת האגרת, הודאה לאשר לו התפארת.

והנה נתבאר באגרת הזאת, שקראתיה "אגרת השבת", שהיא אוגרת[54] כל תשובותיה, ועל שם האגרת שראיתי בחלומי, מתי ראשית היום, גם ראשית החדש, גם ראשית השנה. והשם הנכבד שהוא ראשון בלי ראשית, ואחרון בלי אחרית, הוא יקרב קץ אחרית הימים, להשיבנו כימי עולם וכשנים קדמוניות. אמן.

53. "על כן אמר המלאך 'ומראה הערב והבקר אמת הוא', והטעם, שהוא כמשמעו ערב ובקר" (פירוש ראב"ע על אתר).

54. "אוגרת" במשמעות אוספת ומקבצת, כמו שפירש ראב"ע על הפסוק "ולא תאגר" (דברים כח לט): "תקבץ".

הלילה, כי כן משפט הלשון, כאשר יזכיר שני דברים יתחיל מן האחרון. כמו "ואתן ליצחק את יעקב ואת עשו ואתן לעשו" (יהושע כד ד). וככה "לך יום אף לך לילה" (תהלים עד טז), והזכיר המאור הקטן שהוא מושל בלילה לפני הגדול שהוא נכבד ממנו.[48] גם אין לטעון שאמר הכתוב "יוצר אור ובורא חשך" (ישעיה מה ז), כי הקדימו לפי שיש לו יתרון מן החשך, אף על פי שהחשך היה לפני האור. כמו "יצחק וישמעאל בניו" (בראשית כה ט). וכן "שמה קברו את אברהם ואת שרה אשתו" (שם מט לא), והוא קבר אותה.

והנה בעבור שהזכיר "ויקרא אלהים לאור יום", הוצרך הכתוב לאמור איך תספור יום התורה, כי פירוש "יום" על שני דרכים.[49] על כן אמר כי אלה שתי הראשיות, שהם ערב ובקר, כולל אותם יום התורה. כי פירוש "ערב" – הזמן שהצורות מתערבות ואינן נפרשות למראה העין,[50] כמו "ויתערבו בגוים" (תהלים קו לה). ו"בקר" זמן שהצורות נבדלות ונכרות ומבוקרות,[51] כמו "לא יבקר הכהן" (ויקרא יג לו), "כבקרת רועה עדרו" (יחזקאל לד יב). והנה מלת "יום" כוללת אלו השנים הזמנים, שתנועה אחת כוללת שניהם. וכמהו "זכר ונקבה בראם...ויקרא את שמם אדם" (בראשית ה ב), וכתוב "ויעש [ה' אלהים] לאדם ולאשתו כתנות עור וילבישם" (שם ג כא). והנה התבאר גם במעשה בראשית כי היום מערב עד ערב.

וככה אמר המשורר "ערב ובקר וצהרים" (תהלים נה יח), ולא אמר "בקר וצהרים וערב". והזכיר השלשה רגעים שהאדם חייב להתפלל בהם.[52] כי הרגע השני [הרביעי?] בני אדם ישנים, וזהו "חצות לילה אקום להודות לך" (שם קיט סב).

ובדניאל כתוב "ויאמר אלי עד ערב בקר" (ח יד), והוא חסר וי"ו, כמו "שמש ירח עמד זבולה" (חבקוק ג יא). והעד "ומראה הערב והבקר" (דניאל ח כו). והנה זה יום שלם. והטעם, אלפים יום שהיו ישראל בצרה בימי יון, כאשר

---

48. לשון הכתוב היא "לך יום אף לך לילה, אתה הכינות מאור ושמש" (תהלים עד טז), ופירש שם ראב"ע: "מאור הוא הירח. והזכירו לפני השמש בעבור שהשלים במלת 'לילה'. כי כן דרך המקרא".

49. זמן האור, וזמן האור עם החושך עשרים וארבעה שעות. ראה הערה 47.

50. "ערב – קרוב מטעם חשך, ונקרא כך שנתערבו בו הצורות" (פירוש בראשית א ה).

51. "בקר הפך ערב, שיוכל אדם לבקר בינות הצורות" (פירוש בראשית א ה).

52. לשון הכתוב היא "ערב ובקר וצהרים אשיחה ואהמה וישמע קולי". ראב"ע פירש שם: "ערב תחלת הלילה, ובקר תחלת היום, וצהרים חצי היום. וכל אדם יוכל לדעת אלה העתים במראה עיניו. רק בחצי היום לא יוכל להתבונן בצל רק כשיעבור קרוב בחצי שעה". רד"ק בפירושו לפסוק הוסיף טעם: "אלה הם עתי התפלה, שצריך אדם להודות לאל כשהיום משתנה".

הימים" (ישעיה ל כו) פירוש "שבעתים" (שם).[41] כמו "אשר אהיה" (שמות ג יד) פירוש "אהיה" (שם).[42] וכבר פרשתי יסוד "שבעתים".[43] וקדמונינו רמזוהו שאמרו ברביעי נתלו המאורות (חגיגה יב א). ומה נכבדה מלת "נתלו" למבין.[44] והנה דברי ירמיהו מכחישין דברי האומרים כי "תהו ובהו" – שאין שם ארץ.

והנה החשך היה לפני האור, וככה כתוב.[45] והתנועה הגדולה[46] כוללת זמן החשך והאור, והיא נקראת "יום", שהוא יום שלם, עשרים וארבע שעות.[47] ואין טענה בעבור שהקדים להזכיר "ויקרא אלהים לאור יום" (בראשית א ה) לפני

ועד בהמה נדדו הלכו' (שם ט ט). וזהו 'תהו ובהו', חורבו מאין יושב" (פירוש בראשית א א).

41. לשון הכתוב "והיה אור הלבנה כאור החמה, ואור החמה יהיה שבעתים, כאור שבעת הימים", ופירש שם ראב"ע: "שבעתים – פירושו כאשר פירש הנביא, 'כאור שבעת הימים', והטעם כאור שבעת הימים מחובר".
42. "'אהיה', פירושו 'אשר אהיה'" (פירוש ראב"ע על אתר).
43. "לפי דעתי שהיום הראשון היה אור ולא היה גדול. וביום השני גדל עד היותו סבת הרקיע ונראתה היבשה. וביום השלישי גדל עד שקבלה הארץ כח עליון להצמיח. וביום הרביעי גדל עד שנראו המאורות והכוכבים. וביום החמישי גדל עד שקבלו המים כח לשרוץ נפש חיה. וביום הששי גדל עד שקבלה הארץ כח להוציא בהמה וחיה. וביום השביעי היה שלם. וזה הטעם 'יהיה שבעתים' (ישעיה ל כו), שבע פעמים. על כן אחריו 'כאור שבעת הימים' (שם)" (שיטה אחרת לבראשית א יד, עמ' קסא).
44. רבי יוסף טוב עלם פירש שלדעת ראב"ע המאורות כבר היו מקודם מעשה בראשית, ובשעת מעשה בראשית נתלו ברקיע. והיינו משום שמעשה בראשית הכתוב בתורה מספר רק על בריאת העולם התחתון ולא על בריאת גופי העולם העליון (צפנת פענח, חלק א, עמ' 28).
45. כדכתיב "וחשך על פני תהום" (בראשית א ב).
46. "התנועה הגדולה" היא התנועה היומית, כלשון ראב"ע בפירושו לתהלים יט ז: "הזכיר תנועותיו כפי תולדתו באמת, שהיא הפך התנועה הגדולה".
47. כך משמע מפירושו הרגיל לבראשית א ה: "טעם 'יום אחד' הוא על תנועת הגלגל". וכן כתב בפירושו לשמות לד כא: "היום הידוע השלם הוא תנועת הגלגל העליון ממזרח למערב בעשרים וארבע שעות". כמו כן כתב בפירושו הקצר לשמות לה ג (עמ' שנא): "פירוש 'יום' על שני דרכים. האחד היום והלילה. והשני זמן ועת. כמו 'והיה ביום ההוא' (ישעיה ז כג, ועוד). וכן 'אתה עובר היום את הירדן' (דברים ט א)". אבל בפירושו לשמות טז כה (עמ' קו) אינו משמע כן: "דע, כי ה'יום' בלשון הקדש על שני דרכים. האחת כאשר הזכרתי, כל זמן שאור השמש עומד על הארץ כנגד כל מקום...והדרך השנית, שמלת 'יום' נופל על זמן קרוב או רחוק. 'ביום הכותי כל בכור' (במדבר ג יג), 'אתה עובר היום' (דברים ט א), 'אל ארץ אחרת כיום הזה' (שם כט כז), 'והיה ביום ההוא' (ישעיה ז כא, ועוד). ורבים ככה". כמו כן כתב בשיטה אחרת לבראשית א ה (עמ' קנט-קס): "אחר שהערב לילה, איך יקרא הכתוב כי הערב והבקר יקראו 'יום אחד'. כי הלילה הפך היום, ואיך יקרא הלילה 'יום'? ואין טענה 'מיום הכותי כל בכור' (במדבר ג יג), כי הטעם כמו עת. כדרך 'אתה עובר היום' (דברים ט א). וככה 'יום צעקתי בלילה נגדך' (תהלים פח ב). והאמת כי הלילה לא יקרא 'יום'. והנה כתוב 'לילה ליום ישימו' (איוב יז יב). וכתוב 'שלשה ימים ושלשה לילות' (יונה ב א)".

"כי הוא לקצות הארץ יביט תחת כל השמים יראה" (שם כח כד).[36] וככה "מי מדד בשעלו מים ושמים בזרת תכן וכל בשליש עפר הארץ...מי תכן את רוח ה'" (ישעיה מ יב-יג). וככה "מי עלה שמים וירד" (משלי ל ד), והשלשה אחרי "שמים".[37] וככה ""וזרח השמש" (קהלת א ה) כנגד השמים, "והארץ לעולם עמדת" (שם א ד), "סובב סובב הולך הרוח" (שם א ו), "כל הנחלים הולכים אל הים" (שם א ז).[38] ואחר שהקו שהוא השמים, והמוצק שהוא הארץ, נבראים, הנה כל אשר בתוכם נברא כמוהם.[39]

ופירוש "היתה תהו ובהו" (בראשית א ב) – שלא היה בה אדם ובהמה, כאשר פירש ירמיה "ראיתי את הארץ והנה תהו ובהו" (ד כג), ופירש הטעם אחר כך "ראיתי והנה אין האדם" (שם ד כה) ו"בהמה" (שם ט ט).[40] וכן "כאור שבעת

בראשית א א, עמ' יג), ועוד שם: "כי לא דבר משה על העולם הבא, שהוא עולם המלאכים, כי אם על עולם ההויה והשחתה (העולם השפל)" (שם א ב, עמ' יד).

36. "לא יוכל האדם לדעת אלה הענינים כי אם הבורא לבדו שברא הארבעה המוסדות והם הארץ השמים והרוח והמים, והם נזכרים בשני הפסוקים" (פירוש איוב כח כב).

37. לשון הכתוב "מי עלה שמים וירד, מי אסף רוח בחפניו, מי צרר מים בשמלה, מי הקים כל אפסי ארץ, מה שמו ומה שם בנו כי תדע".

38. כל זה כתב ביסוד מורא: "דברים רבים במקרא צריכים פירוש. כמו שהזכיר קהלת הארבעה שרשים, שהן שמים וארץ ורוח ומים. והנה 'וזרח השמש' (קהלת א ה) כנגד השמים, 'והארץ לעולם עומדת' (שם א ד), ו'סובב סובב הולך הרוח' (שם א ו), ואיננו פיאה כלל, ו'כל הנחלים הולכים אל הים' (שם א ז). ואלה ארבעתם נזכרים בפרשת בראשית, 'את השמים ואת הארץ' (בראשית א א), 'ורוח אלהים מרחפת על פני המים' (שם א ב). וכן 'מי מדד בשעלו מים וגו'' (ישעיה מ יב), 'מי תכן את רוח ה' וגו'' (שם מ יג). וככה 'נוטה שמים כיריעה' (תהלים קד ב), 'יסד ארץ על מכוניה' (שם קד ה), 'עושה מלאכיו רוחות משרתיו אש לוהט' (שם קד ד), 'המקרה במים עליותיו' (שם קד ג). וככה 'כונס כנד מי הים...ייראו מה' כל הארץ' (תהלים לג ז-ח). וככה הזכיר 'בדבר ה' שמים נעשו, וברוח פיו כל צבאם' (שם לג ו). וככה 'לעשות לרוח משקל' (איוב כח כה), 'כי הוא לקצות הארץ יביט' (שם כח כד). וככה 'מי עלה שמים וירד וגו'' (משלי ל ד)" (שער א, פיסקה ו, עמ' 79-80).

39. "ויאמר הגאון כי הארץ כנקודה והשמים כחוט הסובב, ואחר שאלה שניהם נבראים, יהיו כל אשר בתוכם נברא, כמים וכאש" (פירוש הרגיל לבראשית א א, עמ' יג). ובשיטה אחרת לבראשית א א (עמ' קנה) כתב: "הגאון אמר כי בראשית בריאה ברא ה' השמים, שהם כמו הקו הסובב בעגול, והארץ, שהיא הנקודה האמצעית, ואחר שהקו והמוצק נבראים, הנה האש והמים, שהם בין הקו ובין הנקודה, נבראים, על כן לא הזכירם הכתוב".

40. "ראינו כי הנביא אומר 'ראיתי את הארץ והנה תהו' (ירמיה ד כג), והנעדר איננו נראה. גם הנביא פירש דבריו, והוא כי אין אדם ולא בהמה ועוף, כי משפט הנביאים לדבר ככה" (שיטה אחרת לבראשית א א, עמ' קנה). גם רבי שמואל בן מאיר (רשב"ם) פירש כדברי ראב"ע: "בראשית ברא אלהים וגו', כלומר, בתחילת בריאת שמים וארץ, כלומר, בעת שנבראו כבר השמים העליונים והארץ, הן זמן מרובה הן זמן מועט, אז 'והארץ היתה', הבנויה כבר היתה 'תהו ובהו', שלא היה בם שום דבר, כדכתיב בירמיה 'ראיתי את הארץ והנה תהו ובהו ואל השמים ואין אורם...ראיתי והנה אין האדם' (ד כג-כה), 'מעוף השמים

כפ"א רפה בלשון ישמעאל,[28] שמתכונת לשונם כלשון הקדש.[29] ובשמות אין וי"ו נוסף.[30] ועוד, כי לפי הפירוש הזה לא יהיו הרוח והמים נבראים, וכתוב בספר תהלות על שניהם "כי הוא צוה ונבראו" (קמח ה).[31] גם החשך נברא, וכן כתוב "יוצר אור ובורא חשך" (ישעיה מה ז).[32]

והאמת כי הכתוב הזכיר השמים והארץ כי הכל כדור אחד, והשמים הם כמו הקו הסובב והארץ כמו המוצק באמצע.[33] והנה הארץ היתה מכוסה במים מכל צד, וכן כתוב "בל ישובון לכסות הארץ" (תהלים קד ט).[34] והרוח סביב המים. ואלה הארבעה מוסדים, שהם השמים והארץ והרוח והמים, כי השמים כנגד האש.[35] וככה "לעשות לרוח משקל ומים תכן במדה" (איוב כח כה),

---

28. "וי"ו 'ולא עליהם יהיה הגשם' כפ"ה רפה בלשון ישמעאל. וכמוהו 'ביום השלישי וישא אברהם את עיניו' (בראשית כב ד), 'ויעזוב את עבדיו' (שמות ט כא), 'והאבן הזאת' (בראשית כח כב). ואין יכולת באדם לפרש זאת בלשון אחרת, כי לא ימצא זה הלשון כי אם בלשון ישמעאל ובלשון הקודש" (פירוש זכריה יד יז).

29. "לשון ישמעאל קרוב מאד ללשון הקדש, כי בנייניו ואותיות יהו"א והמשרתים ונפעל והתפעל והסמיכות דרך אחת לשתיהן, וכן בחשבון, ויותר מחצי הלשון ימצא כמוהו בלשון הקדש" (פירוש שיר השירים ח יא, הפעם הראשונה).

30. אולם בפירושו לבראשית א א (עמ' יד) כתב: "אל תתמה על וי"ו 'והארץ', כי פירושו כפ"א רפה בלשון ישמעאל". וכן כתב בפירושו לויקרא ז טז: "וי"ו 'והנותר ממנו' כפ"א רפה בלשון ישמעאל, וכמוהו 'ויעזוב את עבדיו' (שמות ט כא), גם 'והארץ היתה תהו ובהו' (בראשית א ב)".

31. לשון הכתוב "הללוהו שמי השמים והמים אשר מעל השמים. יהללו את שם ה' כי הוא צוה ונבראו", ופירש שם ראב"ע: "הזכיר שמי השמים והוא כדור אש שהוא סמוך אל כדור הלבנה, ואחר כן הזכיר כדור הסגריר – 'והמים אשר מעל השמים'. עד כה גבול העולם העליון".

32. "אין מלת 'ברא' כאשר חשבו רבים לעשות את שאינו ישנו...ומלת 'ברא' כמו 'וברא אותהן' (יחזקאל כג מז), לשון חתוך וגזרה, ואם זאת הגזרה מבנין הכבד. על כן כתוב 'בורא קצות הארץ' (ישעיה מ כח) בעבור כי הקצוות אינן גופות. וככה 'ובורא חשך' (שם מה ז), כי החשך איננו דבר רק הוא העדרת דבר. ובעל ספר יצירה יקראנה 'תמורה', 'תמורת חיים מות, תמורת עושר עוני, תמורת חכמה אולת' (פרק ד משנה א). והצל איננו דבר רק דמות העדרת דבר" (שיטה אחרת לבראשית א א, עמ' קנה-קנו). כמו כן כתב בפירושו לישעיה מה ז: "ובורא חשך – מגזרת בריאה, כטעם גזירה, כי החשך איננו כלום רק העדר האור".

33. לדעת ראב"ע "השמים" הנזכרים במעשה בראשית אינם הגלגלים הגבוהים רק הם הרקיע שמעל הארץ והם מקור יסוד האש: "השמים בה"א הידיעה להורות כי על אלה הנראים ידבר...ולפי דעתי כי אלה השמים והארץ הם הרקיע והיבשה" (פירוש בראשית א א, עמ' יג).

34. "הזכיר 'בל ישובון' לאות כי בתחלה היתה הארץ מכוסה במים, ובחפץ השם דחק הרוח אל המים ונראתה היבשה אחר שנברא האור שהיה עיקר" (פירוש תהלים קד ט).

35. מעשה בראשית הוא בריאת ארבעה היסודות ותולדותיהם, ואין המקרא מספר על בריאת העולמות העליונים: "לפי דעתי כי אלה השמים והארץ הם הרקיע והיבשה" (פירוש

בשדה טרפה לא תאכלו" (שמות כב ל), כי הוא הדין לנטרף בבית.[22] וככה "מקרה לילה" (דברים כג יא); "ונפל שמה שור או חמור" (שמות כא לג);[23] ורבים בתורה כאלה.

ועתה אחפש במעשה בראשית, ואחל להשיב על האומר כי הלילה הולך אחר היום.[24] אלו היה כן, למה לא אמר הכתוב מפורש "מבקר עד בקר יום אחד"? או "מאור עד בקר"? ולמה הכניס באמצע "ויהי ערב" (בראשית א ה)? והנה משמע הכתוב "ויהי ערב ויהי בקר" – כי מערב עד בקר הוא יום אחד, הפך מה שדבר בראשונה "ויקרא אלהים לאור יום" (שם).[25]

ואשר הביא זה המפרש בצרה הזאת בעבור שחשבו רבים כי "בראשית ברא אלהים" (שם א א) כאלו כתוב "בראשית בְּרֹא אלהים את השמים ואת הארץ, הארץ היתה תהו ובהו", שהיתה נעדרת, והטעם שאיננה. והחשך העדר האור והטעם איננו.[26] וזה הפירוש איננו נכון כלל. כי מה צורך היה לו להזכיר השמים אחר שלא פירש אם היו תהו כמו הארץ? ועוד מדרך הלשון מה הטעם לתוספת הוי"ו?[27] ואין כמו זאת הווי"ן הנוספים בפועלים, כמו "ביום השלישי וישא אברהם את עיניו" (שם כב ד), "ויעזב את עבדיו" (שמות ט כא), כי הם

22. "הזכיר 'בשדה' ההוה יותר, וככה הדין בנטרף גם בתוך העיר. וכמוהו 'מקרה לילה' (דברים כג יא)" (פירוש שמות כב ל).

23. "שור או חמור – או כל בהמה, והזכיר אלה שניהם כי הם נמצאים יותר" (פירוש הקצר לשמות כא לג). כמו כן כתב ביסוד מורא: "משפט 'ונפל שמה שור או חמור' (שמות כא לג), דבר בהוה הנמצא יותר, וככה משפט הסוס והפרד והגמל" (שער ב, פיסקה יא, עמ' 101).

24. "רבים חסרי אמונה השתבשו בעבור זה הפסוק, ואמרו כי חייב אדם לשמור יום השבת והלילה הבא אחריו...ופירשו 'ויהי ערב ויהי בקר' (בראשית א ה) כרצונם, כי יום ראשון לא השלים עד בקר יום שני. ולא דברו נכונה" (פירוש שמות טז כה, עמ' קו).

25. "עתה שים לבך להבין טפשות המפרשים 'ויהי ערב ויהי בקר' אשר הזכרתי. כי הכתוב אומר 'ויקרא אלהים לאור יום' (בראשית א ה), והוא מעת זרוח השמש עד שקעו, 'ולחשך קרא לילה' (שם) מעת שקוע השמש עד זרחו. והנה הלילה הפך היום כמו שחשך הפך אור. אם כן איך יקרא מעת ערב שהוא עריבת השמש עד בקר 'יום', והנה הוא לילה. והנה כתוב על אלה 'לילה ליום ישימו' (איוב יז יב)" (פירוש שמות טז כה, עמ' קו).

26. "החשך איננו כלום רק העדר האור" (פירוש ישעיה מה ז).

27. "האומר כי פירושו 'בראשית ברוא האלהים (ו)הארץ היתה תהו', איננו נכון. כי היה ראוי שיחל 'ראשית', כמו 'ה' קנני ראשית דרכו' (משלי ח כב). ועוד, מה טעם לו"ו 'והארץ'? ועוד, למה הזכיר הארץ לבדה והניח השמים? ועוד, ראינו כי הנביא אומר 'ראיתי את הארץ והנה תהו' (ירמיה ד כג), והנעדר איננו נראה" (שיטה אחרת לבראשית א א, עמ' קנה).

לא צוה בשבת הראשונה שבה ירד המן "לא תעשה כל מלאכה" (שם כ י), עד יום מעמד הר סיני. כי בעבור שצוה משה "עמר לגלגלת" (שם טז טז), וצוה "אל יותר ממנו עד בקר" (שם טז יט), והנה לקטו ביום הששי שני העמר, והגידו למשה (שם טז כב).[15] והוא השיב "הוא אשר דבר ה'" (שם טז כג). והטעם, כבר דבר לי השם זה לפני רדת המן, והוא "והיה ביום הששי" (שם טז ה).[16] ואמר להם למה טעם משנה כי "שבתון שבת קדש" (שם טז כג), שהשם ישבות מחר. ולא גלה להם זה הסוד, ולא מה יעשו בעודף שצוה שיניחוהו.[17] ובקר יום שבת אמר להם "כי שבת היום לה'" (שם טז כה), שהשם לא יוריד המן, "היום לא תמצאוהו" (שם), אל תצאו ללקט.[18]

וזה הפירוש הזכרתיו כנגד המינים שאינם מאמינים בדברי רבותינו שהשבת מערב עד ערב. ופירוש האמת מה שהעתיקו כי במרה נתנה השבת.[19] והזכיר הכתוב "מחר" ולא אמר "זה הלילה", כי דבר הכתוב על ההוה ברוב, כי ביום עושים הכל מלאכה.[20] והנה פירוש "שבת קדש" – שישבתו, וככה עשו – "וישבתו העם ביום השביעי" (שם טז ל). ובירמיה כתוב "לקדש את יום השבת לבלתי עשות בה [כל] מלאכה" (יז כד).[21] והזכיר "מחר" שהוא היום כי דבר על ההוה. כמו "יצא אדם לפעלו ולעבדתו עדי ערב" (תהלים קד כג). וכמו "ובשר

והלילה הבא אחריו, כי משה אמר 'כי שבת היום לה'', ולא הלילה שעבר. גם אמר 'מחר' (פסוק כג)" (פירוש שמות טז כה).

15. "ויהי [ביום הששי] – ירד המן יותר מהמנהג כאשר יפרש, וישראל לקטו לחם משנה, כי משה צוה להם לעשות ככה. והם לא ידעו למה. ועוד, שהכתוב אמר 'לקטו' ולא אמר 'מצאו'. ובאו הנשיאים והגידו למשה כי ישראל עשו כאשר צום, ושאלוהו מה יעשו, כי למה צוה ללקוט משנה ואיך יוכלו לאכלו" (שם טז כב).

16. "ויאמר – כבר אמר לו השם כי אתם חייבים לשבות מחר, שלא תעשו מלאכה אפילו אוכל נפש, כי מחר הוא יום שבת לה'" (שם טז כג).

17. "ואת כל העודף הניחוהו עד הבקר שאומר לכם מה תעשו. והנה לא הודיעם כי לא ירד מן ביום השבת, רק בבקר הודיעם זה הסוד" (שם).

18. "עתה פירש מה יעשו בעודף המונח וגלה להם סודו כי לא ימצאוהו היום כי לא ירד" (שם טז כה).

19. "תניא, עשר מצות נצטוו ישראל במרה, שבע שקיבלו עליהן בני נח, והוסיפו עליהן דינין ושבת וכיבוד אב ואם" (סנהדרין נו ב).

20. "משה לא דבר לישראל רק כנגד מנהגם, כאשר הזכרתי לך. כי מנהג ארצות ערלים אינם כמנהג ארץ ישראל במאכלם ובמלבושם ובנינם וענינם. כי אין מנהג שיאפה אדם או יבשל בקיץ ובחורף, ולא לעשות מלאכה רק ביום, על כן אמר 'מחר'" (פירוש שמות טז כה).

21. בפירושו לפסוק "ויברך אלהים את יום השביעי ויקדש אתו" (בראשית ב ג), כתב ראב"ע: "ויקדש אותו – שלא נעשתה בו מלאכה כמו חבריו".

ועוד מצאתי מפורש בראשון המועדים,[10] שנתנו השם לישראל לפני השבת, "בארבעה עשר יום לחדש בערב תאכלו מצות עד יום האחד ועשרים לחדש בערב" (שמות יב יח), ואחר כך כתוב "שבעת ימים" (שם יב יט). והנה יום חמשה עשר מהערב שהוא יום הראשון.[11] וכתוב "[ולא ילין מן הבשר] אשר תזבח בערב ביום הראשון לבקר" (דברים טז ד). וידוע כי בחצי הלילה היתה מכת בכורות (שמות יב כט), והנה כתוב "ביום הכותי כל בכור" (במדבר ג יג, ח יז).[12] ובמקרא "היום הזה יום בשורה הוא...וחכינו עד אור הבקר" (מלכים־ב ז ט).

ועוד מצאתי ביום הכפורים "מערב עד ערב תשבתו שבתכם" (ויקרא כג לב), וכתוב "בעצם היום הזה" (שם כג כט, ל) כרת על העושה בו מלאכה או האוכל, ואין הפרש להיות זה בלילה או ביום, כי תחלת "עצם היום" מהערב.

והנה עדים נאמנים כי ראשית היום מהערב. וככה הם כל המועדים והשבת, כי כלם הם "מועדי ה' מקראי קדש" (שם כג ד). רק השבת לבדה נקראת "שבת לה'" (שמות כ י, דברים ה יד), ששבת ה' במעשה בראשית.[13] ובעבור היות השנה, גם היום, תלויים בשמש, כי השתים תנועות דומות זו לזו, על כן היתה השנה השביעית דומה לשבת. על כן כתוב בה "שבת לה'" (ויקרא כה ב). וכאשר היא תחלת שנת השמיטה בימי תקופת החרף, ככה ראשית יום השבת בתקופת היום הדומה לחרף, שתחלתה הערב.

ואל תשתומם בעבור שכתוב "שבתון שבת קדש לה' מחר" (שמות טז כג), ולא הזכיר זה מהערב.[14] ועתה אפרש לך הפרשה לדחות הטוען. דע, כי השם

---

10. כתוב "בראשן בארבעה עשר יום לחדש בערב תאכלו מצות" (שמות יב יח). מלשון ראב"ע לפנינו יש לומר שפירש "בראשן" – בראשון המועדים, כלומר, בחג הפסח. אולם, בפירושו לפסוק כתב: "בראשון – אחז דרך קצרה, בעבור שהזכיר בתחלה 'ראשון הוא לכם' (שמות יב ב), והנה טעם בחדש הראשון".

11. "הנה מצינו שאמר 'שבעת ימים מצות תאכלו' (שמות יב טו), ופירש כי זה המספר מ'ארבעה עשר [יום] לחדש בערב' (שם יב יח)" (פירוש שמות טז כה).

12. בפירושו לבמדבר ח יז כתב: "ביום הכתי – זמן, כמו 'אתה עובר היום' (דברים ב יח)". וכן כתב בפירושו לשמות טז כה: "דע, כי ה'יום' בלשון הקדש על שני דרכים...והדרך השנית שמלת 'יום' נופל על זמן קרוב או רחוק, 'ביום הכתי כל בכור' (במדבר ג יג, ח יז)". ראה גם שיטה אחרת לבראשית א ה (עמ' קנט–קס). אבל לפנינו נראה שרצה להוכיח שהמלה "יום" כוללת גם היום וגם הלילה שלפניו, כ"ד שעות, ויום התורה יתחיל בערב.

13. "זה היום [שבת] סמוך לשם [שכתוב 'שבתון שבת קדש לה''] בעבור ששבת מכל מלאכתו ביום השביעי" (פירוש שמות טז כג). מה שאין כן ביום הכפורים שכתוב "תשבתו שבתכם" (ויקרא כג לב), והעיר שם ראב"ע: "יום השבת לא יקרא שבת ישראל כי אם שבת ה'". בפירושו הקצר לשמות לה ג (עמ' שנ) כתב: "השבת לא תקרא 'שבתכם' כי אם שבת השם, כמו 'אך את שבתותי' (שמות לא יג). רק יום הכפורים נקרא כן, 'שבת שבתון הוא לכם' (ויקרא כג לב), ולא מצאנו שאמר בו 'שבת לה''".

14. "רבים חסרי אמונה השתבשו בעבור זה הפסוק, ואמרו כי חייב אדם לשמור יום השבת

שהיא בצהרים אחר חצי שעה,[4] כי אז תראה העין שהשמש נטתה לצד מערב. על כן ראוי להיות זאת ראשית היום רחוקה מן האמת. אף כי חצי הלילה, כי כל אדם לא יוכל לדעת זה.[5]

והנה הנכון להיות ראשית היום הערב או הבקר. ובעבור כי חדש התורה הוא ללבנה, ואורה המתחדש לא יראה כי אם בערב, על כן ראשית היום מהערב ועד ערב שני.

ועוד חפשתי ומצאתי כי חדש ניסן ראשון לתקון המועדים, בעבור כי בו יצאו אבותינו ממצרים. רק ראשית השנה לשמיטה וליובל באמת מתשרי,[6] שפירושו בלשון כשדים תחילה, כמו "ושריו למבנא" (עזרא ה ב).[7] והנה הערב דומה לתקופת החרף שהיא בתשרי.

ועוד מצאתי כל הקדמונים מחשבים את המולד מתחלת הלילה.

ועוד מצאתי בדברי חכמינו כי השלמים נאכלים "לשני ימים ולילה אחד" (משנה, זבחים פרק ה הלכה ז), ואלו היתה תחלת היום הבקר, לא יתכן להיות היום השלישי רק אחר שני לילות.[8]

וחפשתי עוד ומצאתי כי מקרה לילה או יום, או הנוגע בכל אשר יטמא לו, אמר הכתוב "וטמאה עד הערב" (ויקרא כב ו), שהוא סוף היום. כי אלו היה תחלת היום מהבקר, היה ראוי שיטהר מקרה לילה בסוף היום, שהוא לפנות בקר.[9]

---

4. "איזה היא מנחה גדולה משש שעות ומחצה ולמעלה" (תוספתא, ברכות פרק ג הלכה ב; הובאה בתלמוד בבלי, ברכות כו ב).

5. "ידוע כי אין יכולת בחכם לידע רגע חצי היום כי אם בטורח גדול בכלים גדולים של נחשת, ואף כי חצי הלילה שהוא יותר קשה" (פירוש שמות יא ד). וכך הכריע ראב"ח: "אין אנו רשאין לסמוך עליהם [על חכמי המזלות] ולא ללכת אחריהן, מפני שמחצית היום ומחצית הלילה אינו דבר גלוי ומזומן לדעת כל אדם...וצריכין אנו שיהיה ראש היום וסופו גלוים ומפורסמים לכל אדם לתקן כל צרכיהם בעולם הזה" (העיבור, מאמר א, שער ט, עמ' 24).

6. "באחד בתשרי ראש השנה לשנים ולשמיטין ויובלות לנטיעה ולירקות" (משנה, ראש השנה פרק א הלכה א).

7. "סוד העבור כרבי אליעזר שאמר כי בתשרי נברא העולם, על כן נקרא 'תשרי' בארמית, והטעם תחלה, כמו 'ושריו למבנא' (עזרא ה ב)" (שלוש שאלות, עמ' ב).

8. אצל קרבן השלמים כתוב "ואם נדר או נדבה זבח קרבנו ביום הקריבו את זבחו יאכל וממחרת והנותר ממנו יאכל. והנותר מבשר הזבח ביום השלישי באש ישרף" (ויקרא ז טז-יז).

9. "מי שאירע לו קרי בלילה או ביום, כי כן כתוב 'מקרה לילה' (דברים כג יא), והנה לא יטהר עד בא השמש שהוא סוף היום הראשון. ואילו כן שהוא עד בקר יום שני, היה ראוי שירחץ בבקר, כי אם אומרים כי היום והלילה שהוא אחריו יקרא 'יום', הנה יהיה חצי היום טמא וחציו טהור, ואשר יארע לו קרי בתחלת הלילה, חצי היום שעבר טמא, גם חצי יום הבא. ואלה דברי התועים" (פירוש שמות טז כה).

והנה חכמי המזלות החלו מחצי היום עד חצי היום אחר, עשרים וארבע שעות. וזהו יום שלם בחשבונם. והוא אמת לצרכם בעבור שני דברים, לא יבינום רק חכמי המדות.[2] ובעבור כי הצל בחצי כל יום קצר, ואין נטותו רק מעט, ויש פעמים שלא תוכל עין האדם לדעת זה. גם בכלי הצל גם בכלי הנחשת אין יכלת בחכם[3] לדעת רגע חצי היום. על כן הוצרכו קדמונינו לאמור כי תפלת המנחה

---

2. עניין זה מבואר בראב"ח: "המעיינים בחשבון מהלך הככבים והחוקרין על מדת הליכתן, הן צריכין לחקור על מהלך כל כוכב וכוכב כמה יהיה ביום אחד. ואלה מסרו תחלת היום או מעת היותה בחצי השמים אשר על הארץ, והוא מחצית היום, או מעת היות החמה בחצי השמים תחת הארץ, והוא מחצית הלילה. ואמרו אין אנו יכולין לשום תחלת היום ממקום אחר, מפני שאין הימים והלילות שוין בכל העולם. אבל לילה אחת אם אתה מחבר אותה עם היום אשר היה לפניה, יהיו שניהם כמו כן יום אחד, אלא שמדתן לא תהיה שוה, מפני שהיום אשר לפני הלילה עודף או מקצר מן היום אשר אחריה. ואילו היינו חוקרים על מהלך הכוכבים בימים שתחלתן זריחת החמה או שקיעתה, היה אחד ממנו מתחיל לחקור עליהן מזריחת השמש עד זריחתה ביום אחד, ובו ביום היה אדם אחד מתחיל לחקור עליהן משקיעת השמש עד שקיעתה, לא היינו באים אל דעת אחד מפני החלוף אשר בין הימים והלילות. והיתה החקירה הזאת משבשת עלינו. ועכשיו כשאנו חוקרין עליהן, או מחצי היום או מחצי הלילה, אנו באין לעולם אל דעת אחת, מפני שהשיווי הנמצא בהן מן הדרך הזה. אם אתה מחבר מחצית יום ומחצית לילה שהן סמוכין זה לזה, מחברין כמו כן הן לפני היום הראשון הן לאחריו, לא תמצא היום הראשון עודף על השני ולא חסר ממנו. והוא המנהג בכל יום ויום. מפני שאם מחצית היום עודף על מחצית הלילה ביום הזה, תמצא ביום השני הדבר בחילוף, מחצית הלילה עודף על מחצית היום, ויהיו שניהם לעולם י"ב שעות מלאות. כי מהלך הגלגל מחצי השמים על הארץ עד מחציתה תחת הארץ שוה הוא למהלכו מחצי השמים תחת הארץ עד מחציתה על הארץ בכל מקומות הישוב. ואין מדת מהלכו ממעל לארץ כמהלכו מתחת לארץ, אבל פעמים עודף ופעמים חוסר. ולפי העניין הזה תמצא כל חושבי מהלך הכוכבים משימים תחלת היום בחשבונם או מחצי היום או מחצי הלילה, ואין החשבון נתקן להם אלא על הדרך הזה" (העיבור, מאמר א שער ט, עמ' 23-24). בספר צורת הארץ (שער ב, עמ' 87-92) חקר על העניין הזה, וסיים (עמ' 91): "מפני זה ראויים אנשי החכמה לשום ראש הימים אשר חושבין עליהן את מהלכות הככבים מן מעמד החמה בקשת חצי השמים אשר על הארץ, והוא חצי היום, עד שובה אל המעמד ההוא. או מן מעמדה בקשת חצי השמים אשר תחת הארץ, והוא חצי הלילה, עד שובה אל המעמד ההוא. ולא יכלו לחשוב תחלת הימים לא כן מן עלות החמה על הארץ ולא מן שקיעתה מעל הארץ, מפני החלוף הנמצא בין הימים ולילותיהן משני הדרכים האלה, שהן חלוף המהלך וחלוף המעלות". ואלו דברי רשב"ץ: "חכמי תכונת הגלגלים, יש מהם שעשו התחלת היום או בחצי היום או בחצי הלילה. לפי שכל המקומות שהם על אורך אחד ואין ביניהם שינוי כי אם ברוחב, רצוני לומר שהם שוים במרחק מזרח ומערב אלא שהאחד יותר צפוני מהאחד, אלו המקומות כולם, אפילו היו אלף אלפים, חצי היום שלהם הוא שוה ברגע אחד, וישתנה שחרם וערבם. על כן הם בוחרים לעשות התחלה מהאמצע, רצוני לומר, חצי היום וחצי הלילה. ועוד, שלעולם יש מחצי היום לחצי הלילה י"ב שעות שוות בכל עיתות השנה, כי מה שיוסף חצי האחד יגרע חצי האחר. ועוד יש להם תועלת זה בענין מצעדי המזלות" (ספר תשב"ץ, חלק א, סימן קט, עמ' רמו-רמז).

3. רבי יוסף טוב עלם (צפנת פענח, חלק א, עמ' 224) גרס "באדם" במקום "בחכם".

השער השלישי

בראשית היום

כאשר יש לתנועה המערבית ארבע תקופות בשנה, ככה יש לתנועה המזרחית. והנה מהבקר עד חצי היום חם ולח. כתקופת החום שהשמש עולה לפאת צפון, וככה עתה עולה לחצי השמים. ובחצי האחר יורדת, כנגד תקופת הקיץ. ומערב עד חצי הלילה כתקופת החרף. והרביעית כתקופת הקור. והנכון להיות תחלת היום, שהיא כוללת כל האדם, אחת מאלה הארבע נקודות.[1]

1. כמו כן כתב ראב"ח: "היום האמור בכלל הוא במדתו נוהג מנהג עגולה שהיא מתגלגלת, מפני שהוא מתחיל ממקום אחד וסובב והולך עד שהוא חוזר אל המקום אשר התחיל ממנו, ומיד הוא חוזר ונוהג כמנהגו לסבוב ואינו עומד, ואין אתה מוצא בו מקום ידוע שהוא ראוי להקרא ראש אצל כל אדם, לפי הסכמת דעתו נותן לו ראש ותחלה מאיזה מקום שירצה, כאשר אין לעגולה ראש ידוע, וכל מקום שאתה מתחיל ממנו אתה משים אותה ראש לה. וכן ראוי להיות מנהג היום. אלא כשאנו מעיינים בדבר היום עיון יפה, אנו מוצאין בו ארבעה רגעים שהן ראויין לשום אותם ראש היום ותחילתו, מפני שהחמה פונה בהן מצד אל צד בהקפתה אל מקום אחד, והוא במקום ההוא ממירה את ענין מהלכה, ואם אינה ממירה את ענין מהלכה בהקיפתה אל כל הארץ, תהיה ממירה את ענין מהלכה אל מקום פרטי. הרגע האחד מהן הוא עת זריחתה, מפני שהיא מתחלת לעלות על המקום שהיא זורחת עליו. והרגע השני הוא עת היות בחצי השמים, מפני שהיא מגעת במקום ההוא אל סוף גבהה ועליותה על המקום אשר זרחה עליו, ומכאן ואילך היא נוטה לערוב. והרגע השלישי הוא עת שקיעתה, מפני שהוא מתחלת לבוא תחת הארץ ולהסתתר מן המקום אשר זרחה עליו. והרגע הרביעי הוא עת היותה בחצי השמים אשר תחת הארץ, מפני שהיא מתחלת משם לעלות על הארץ והולכת לזרוח אל המקום אשר שקעה מעליו" (העיבור, מאמר א, שער ט, עמ' 23).

והארכתי להזכיר כל זה בעבור שבקש ממני אחד ממשכילי הדור שאפרש לו סוד "נולד קודם חצות" על רגל אחת. ובעבור שהחרשתי, חרה לו. ואני נתתי לו עצת אמת. שיתענה לפני השם הנכבד, אשר כל יוכל, לברוא לו לב טהור ולתת בקרבו רוח חדשה, לשפך עליו רוח חכמה. עד שיבין כל החכמות מלבו מבלי למוד ימים ושנים. אשר לא עשה כן לכל איש מיום שברא אדם על הארץ. אולי ישמע השם את תפלתו, ויחדש לו זה הפלא והאות והמופת, להיותו שני לאתון בלעם.

והנה איננו נכון להיות ראשית החדש מהמולד במהלך האמצעי או ממולד האמת, כי לא ידע זה כל אדם. על כן ראשית החדש הוא בהתחדש אור הלבנה למראה העין.[24] וככה כתוב במשנה (כגון בראש השנה פרק א הלכה ז). והנה כאשר הוא החדש הראשון ידוע לעיני כל משכיל וסכל בהמצא אביב השעורים, ככה ראש החדש למראה כל אדם.

המולד לאחר חצות לא תראה כלל...והנה פירוש ההלכה על דבר שהוא מתוקן להראות, והנה 'נולד קודם חצות' על ירושלים" (דף יא עמ' א-ב).

24. אלה שלוש מולדות הזכירן ראב"ע בהקדמתו לפירוש התורה (הדרך השנית, עמ' ד): "אם נסמוך על דעת התחברות המאורות, גם הנה שלוש מחברות, מחברת בגלגליהם תיכונה, ומחברת כנגד העליון באמונה, ומחברת שנוי מחזה". ביסוד מורא כתב: "הכלל, כל המצוות צריכות פירוש מדברי הקבלה. ואף כי המועדים, אם הם תלויים במולד הלבנה או המתוקן, או על פי המרחק שהלבנה נכונה להראות, או על פי מראה העין" (שער א פיסקה ג, עמ' 67–70). דעת רס"ג (ראה אוצר הגאונים, מסכת ראש השנה, עמ' 35; ראב"ח, ספר העיבור, עמ' 59–62) שעיקר קביעת החודש היא על פי חשבון ולא על פי ראיה. אבל ראב"ע חלק עליו: "אין בכל המקרא ראיה איך היו ישראל קובעים החדשים והמועדים. ומה שאמר הגאון כי על חשבון העבור היו נסמכים איננו אמת, כי במשנה גם בתלמוד ראיות שהיה פסח בבד"ר" (פירוש ויקרא כג ג, עמ' עט). גם רמב"ם תמה על דברי רס"ג, וסיים: "מה שראוי שאתה תאמין שעיקר דתנו בנוי על הראייה" (פירוש המשנה, ראש השנה פרק ב הלכה ו). בספר העיבור לא הכריע ראב"ע אם עיקר קביעת החודש כפי ראית הלבנה או כפי החשבון: "אם אמרנו כי עיקר הקביעות הוא על ראיה הלבנה...ואם אמרנו כי הקביעות הוא על המולד..." (שער ב, דף ד עמ' ב).

מקום ראש התלי וזנבו[19] לדעת מרחב הלבנה, לתקן זאת הקשת.[20] ואחר כך יתקן אותה כפי תקון השתנות המראה באורך גם ברוחב.[21] אז תהיה לו קשת המראה באמת.[22] אז ידע מתי תראה הלבנה בכל מקום איזה חדש שירצה. והיודע אלה הדברים יוכל להבין סוד "נולד קודם חצות" (ראש השנה כ ב).[23]

---

19. "התלי שלהם [של כוכבי הלכת] הוא מקום מחברת הגלגל הכוכב הדומה לגלגל המזלות עם גלגלו הנוטה, והנה ראש התלי תחלת השמאל והזנב תחלת הימין" (ראשית חכמה, שער א, עמ' 8) ברמב"ם מבואר יותר: "העגולה שסובב בה הירח תמיד, היא נוטה מעל העגולה שסובבת בה השמש תמיד, חציה נוטה לצפון וחציה נוטה לדרום. ושתי נקודות יש בה זו כנגד זו, שבהן פוגעות שתי העגולות זו בזו. לפיכך כשיהיה הירח באחת משתיהן, נמצא סובב בעגולה של שמש כנגד השמש בשוה. ואם יצא הירח מאחת משתי הנקודות, נמצא מהלך לצפון השמש או לדרומה. הנקודה שממנה יתחיל הירח לנטות לצפון השמש היא הנקראת 'ראש', והנקודה שממנה יתחיל הירח לנטות לדרום השמש היא הנקראת 'זנב'. ומהלך שוה יש לזה הראש שאין בו לא תוספת ולא גרעון, והוא הולך במזלות אחורנית, מטלה לדגים, ומדגים לדלי, וכן הוא סובב תמיד" (משנה תורה, הלכות קידוש החודש, פרק טז הלכה א).

20. "צורך גדול יש לנו לדעת רוחב הלבנה, והטעם רחב מקומה ממקום גלגל המזלות. כי אם היה רחבה צפונית, תראה הלבנה וקשת המעלות פחותה מאשר הזכרתי (י"ב מעלות). ואם היה רחבה דרומית, לא תראה הלבנה, אף על פי שקשת המעלות תהיה ט"ו מעלות" (העיבור, סוד העיבור, דף יא עמ' א).

21. "תשתנה קשת המראה בכל מקום כפי רוחב הארץ, וכפי מרחב הלבנה מקו המזלות, על חלוף המראה באורך וברוחב וגבהו ושפלתו ואוירו" (פירוש שמות יב ב, עמ' עב-עג). כמו כן כתב ביסוד מורא: "קשת המראה כפי מרחב הארץ וכפי נטות גלגל הלבנה לימין מן קו המזלות או לשמאלו" (שער א פיסקה ג, עמ' 71).

22. "לעולם לא תראה הלבנה (עם) [עד?] שיהיה בינה לשמש קרוב מי"ב מעלות, וזהו מהלך יתרון הלבנה על השמש ביום ובלילה" (העיבור, סוד העיבור, דף יא עמ' א). קשת זה נקרא "קשת המראה": "אם יהיו ביניהם שנים עשר מעלות, תראה הלבנה. ואם יהיו ביניהם פחות מי"ב מעלות, לא תראה הלבנה כלל. בזה הקשת יקרא 'קשת המראה'" (כלי נחושת, שער כה, עמ' כד-כה).

23. לשון התלמוד: "אמר אבא אבוה דרבי שמלאי מחשבין את תולדתו, נולד קודם חצות בידוע שנראה סמוך לשקיעת החמה, לא נולד קודם חצות בידוע שלא נראה סמוך לשקיעת החמה". מאמר זה קשה בפירושו, כמו שכתב ראב"ע: "לולי שלא אאריך הייתי מפרש סוד העיבור, וסוד ההלכה החמורה שהוא 'נולד קודם חצות'" (פירוש ויקרא כג ג, עמ' פב). כמו כן כתב ביסוד מורא: "גם יש בתלמוד דברים לא ידעו פירושם, כמו במסכת ראש השנה 'פעמים בא בארוכה פעמים בא בקצרה' (כה א), וביאור 'נולד קודם חצות' (שם כ ב), ו'לדידך' ו'לדידהו' (שם)" (שער א פיסקה ד, עמ' 75). בספר העיבור הסביר ראב"ע את המאמר "נולד קודם חצות": "עתה אפרש לך סוד 'נולד קודם חצות'. אין ספק כי שנים ימים שלמים או קרובים משלמים תסתתר הלבנה. על כן אמרו מפרשים כי 'כ"ד שעי מכסי סיהרא' (ראש השנה כ ב). הם שעות גדולות (כל שעה גדולה מכילה שתי שעות רגילות) כשעות רבי אליעזר. ויתכן להיות פירושו י"ב גדולות קודם המולד וי"ב אחר המולד, והעד, 'צריך שיהיה לילה ויום מן החדש' (שם). כי אין יכלת באדם שיראה הלבנה קודם המולד עד שיהיה מרחק ידוע בינה ובין השמש. כי המעלות כפי רחב המדינה ורחב הלבנה לצפון או לדרום והשתנות המראה...והנה ידענו כי במולד תשרי...ובעבור כי המעלות הישרות הן י', תראה הלבנה בשקוע החמה. על כן אם היה

ויש מעברים בדורנו.[15] בעבור שידעו חשבון אי"ב תשצ"ג,[16] חושבים כי עמדו על סוד העבור. ויסתכלו המרחק שיש בין המולד ובין תחלת הלילה ויאמרו לערלים מתי תראה הלבנה. וכאשר יראו כי יש פעמים ביניהם פחות משש שעות במקומם, יחשבו כי המולד עשוי על מקום כל מחשב. והנה יש פעמים שהלבנה נראית בתחלת הלילה, ופעמים יהיה בין המולד ובין הערב ז' וח' שעות ולא יראו הלבנה.[17] והם חושבים כי חשבון העבור טעות. חלילה חלילה. רק הם הטועים, שהם חכמים בעיניהם. כי אין כח במשכיל לדעת מתי תראה הלבנה עד עשותו כאשר אפרש:

שידע מתי רגע המולד. ולא ישליך ללילה שתים עשרה שעות, רק יחל לספור מתחלת הלילה עד רגע המולד כך וכך שעות.[18] וידע מקום המחברות בחלק מעלת המזל, ויראה אם מהלך השמש בארוכה או בקצרה, וכמה מהלך הלבנה, ויוסיף או יגרע עד שידע רגע מולד האמת על ירושלים. ויראה כמה מרחק זה המולד מתחלת הלילה שעות וחלקי שעות. ויוסיף עליהן שעות מרחק אורך מקומו אם הוא מערבי לירושלים, או יחסר אם הוא מזרחי. וידע כמה מהלך השמש בשעות המרחק במהלך יומו, ויוסיפהו על מקום השמש ברגע מולד האמת. וככה יעשה במקום מולד הלבנה כפי מהלכה. ואחר כך יכנס בלוח מעלות המזלות בארצו, ויקח המעלות שימצא לנכח מקום השמש. גם יעשה ככה במעלות נכח הלבנה, ויחסור המעט מהרב. אז ימצא קשת היתרון. וידע

בבגדאד אלא חמש שעות. וזהו סיבת ההתחלפות שראה הגאון זכרונו לברכה. והוא מגלה לנו כי מקום המולד הוא בסוף המזרח" (ספר תשב"ץ, חלק ג, סימן רטו, עמ' רט-ריא).

15. לשון רמב"ם: "זה שאנו מחשבין בזמן הזה כל אחד ואחד בעירו, ואומרין שראש חדש יום פלוני ויום טוב ביום פלוני, לא בחשבון שלנו אנו קובעין ולא עליו אנו סומכין, שאין מעברין שנים וקובעין חדשים בחוצה לארץ. ואין אנו סומכין אלא על חשבון בני ארץ ישראל וקביעתם. וזה שאנו מחשבין, לגלות הדבר בלבד הוא. כיון שאנו יודעין שעל חשבון זה הם סומכין, אנו מחשבין לידע יום שקבעו בו בני ארץ ישראל אי זה יום הוא. וקביעת בני ארץ ישראל אותו, הוא שיהיה ראש חדש או יום טוב, לא מפני חשבון שאנו מחשבין" (משנה תורה, הלכות קדוש החודש, פרק ה הלכה יג).

16. "כשתשליך ימי חדש הלבנה שבעה שבעה, שהם ימי השבוע, ישאר יום אחד ושתים עשרה שעות ושבע מאות ושלשה ותשעים חלקים, סימן להם אי"ב תשצ"ג, וזו היא שארית חדש הלבנה" (רמב"ם, משנה תורה, הלכות קידוש החודש, פרק ו הלכה ה).

17. "ידוע כי פעם יהיה בין המולד לעת השקיעה שש שעות ותראה הלבנה, אך על חקות ידועות. ופעם ביניהם שלשים שעות, ולא תראה אפילו בגבעות. כי תהלוכות הלבנה מפאת גלגלה, גם גלגל השמש, משתנות. וגם מפני ארך ורחב המדינות" (הקדמה לפירוש התורה, הדרך השנית, עמ' ד-ה).

18. "תכתוב השעות שהם פחותות מכ"ד ותאמר כך וכך שעות [שוות] עברו מתחלת הלילה, ולא תחסר י"ב ללילה" (העיבור, שער א, דף א עמ' א). עוד כתב שם: "יתעו האומרים שהמולד יהיה בכך שעות מהיום, כי יוציא אל הלילה י"ב שעות. והאמת שיאמר שהמולד יהיה רחוק כך וכך שעות ישרות מתחלת הלילה" (סוד העיבור, דף ט עמ' א).

על כן טעה הגאון שאמר כי ראה רגע קדרות השמש בבגדאד לא היה בעת המולד.[11] על כן אמר כי חשבון הקדמונים לא היה בדקדוק יפה. רק חשבונם הוא הנכון. והוא טעה ארבע טעיות: האחת כי היה ראוי שידע דרך הארוכה והקצרה, כאשר יעשו חכמי המזלות. כי אין מחלוקת בין מולד ישראל למולד חשבון הגוים במהלך האמצעי, עד שידע מתי הוא המולד האמתי. והטעות השנית, כי חשבון המולד על ירושלים,[12] ובינה ובין בגדאד במרחק האורך שתי שלישיות שעה.[13] והטעות השלישית, כי צריך הוא לדעת השתנות המראה באורך, בעבור כי הקדרות למראה העין. והטעות הרביעית, השתנות המראה כפי המרחב.[14]

---

11. השמש תקדר רק בהתחברותה עם הירח: "אין לה [לירח] אור בעצמה כי אם מהשמש. והעד, כי בהתחברה עמו עם ראש התלי או זנבו, לא תראה השמש אם היה ביום. ואם היתה לנכח השמש בלילה באחד המקומות הנזכרים, יהיה אור הלבנה נעדר" (פירוש שמות ג טו, עמ' לג-לד). וכן כתב בפירושו לשמות יב ב (עמ' עא): "אין לה [לירח] אור בראיות גמורות כי אם מהשמש. על כן לֹא תקדר השמש כי אם ברגע מחברתו עם הלבנה, אם היה בראש התלי או בזנבו. ולא תהיה קדרות ללבנה כי אם בהיותה לנכח השמש בלילה במקומות הנזכרים".

12. "דע, כי חשבון העבור הוא על ירושלים. והטעם, שהיא ארכה בסוף המערב ס"ה מעלות, שהם ארבעה שעות שוות ושלישית שעה. והנה אם היתה ארצנו מזרחית לירושלים, נסתכל כמה אורך ארצנו ונחסר אורך ירושלים. ואם היתה ארצנו מערבית, נחסר ארכה מאורך ירושלים" (העיבור, סוד בעיבור, דף י עמ' ב – יא עמ' א). בשלוש שאלות (עמ' ב) כתב: "מה שאמר [מפרש אלמוני] שהמולד בקצה מזרח, הוא טעות גדולה, ולמה לא השתכל וחפש היטב, אז ראה בבירור כי המולד הוא במהלך האמצעי, כאשר עשו חכמי המזלות, על אורך ירושלים, אין בו תוספת ומגרעת". אבל אין זו דעת ראב"ח: "אחר שנתברר לנו הענין הזה, באנו לחקור ולומר בידוע לפי דעת החכמים כלם כי זמן היום והלילה אינן נראין בכל מקום ענין אחד, אבל במקום הזה הוא יום בעת שהוא לילה במקום אחר, במקום אחד שלש שעות או ארבעה או חמשה מיום או מלילה ובמקום שני יותר מזה, ובמקום שלישי פחות מזה. על הענין הזה הוא מנהג הימים והלילות בכל העולם, הן על קו השוה אשר בארץ, הן על כל קו וקו מן האקלימים השכונים. ומצאנו רבותינו זכרונם לברכה אומרים 'הלבנה נולדה בשעה זו מזמן הלילה', וכן 'התקופה נופלת בשעה פלונית מן היום' או 'מן הלילה'. היינו צריכין להבין על איזה מקום השיבו השעות מאורך קו השוה אשר העמידו חשבונם עליו . ולכשיודע המקום הזה נוכל לומר ממנו באיזה שעה יהיה המולד או התקופה במקומותינו אשר אנו יושבין עליו. וכשבאנו אל העיון הזה לחקור אותו מכל צד כפי השגת ידינו, נראה לנו שהן קובעין חשבון המולדות והתקופות על אותן היושבים בקצה המזרח מן הקו השוה" (העיבור, מאמר א שער י, עמ' 27).

13. בספר העיבור כתב: "הנה בין בגדאד ובין ירושלים יותר משעה וחצי" (סוד העיבור, דף ח עמ' ב). עוד כתב שם: "אנו ידענו כי אין בין בבל וירושלים רק שעה וחלק שעה" (דף יא עמ' ב). מה שכתב כאן הוא הנכון.

14. זו לשון רשב"ץ: "כבר זכר הגאון רבינו סעדיה זכרונו לברכה שהוא ראה לקות שמשי בחשבון שעה שיהיה המולד יותר על אותה שעה חמש שעות. ובלא ספק שהלקות אינו אלא בשעת המולד. וסיבת מרחק הלקות מעת המולד במקומו של רבינו סעדיה הוא מרחק מקומו ממקום המולד, כי הוא היה בבגדאד, והוא רחוק מקצה המזרח חמש שעות. וכשעברו מקצה המזרח בעת הלקות עשר שעות עם התחלפות ההבטה, עדיין לא עברו

לברכה "פעמים שבא בארוכה ופעמים שבא בקצרה" (ראש השנה כה א). ובעבור כי המתחברות שתים, צריכות שתיהן לדעת מתי היא כל אחת בארוכה או בקצרה. כי יש פעמים שתהינה שתיהן בארוכה או שתיהן בקצרה, או החמה בארוכה והלבנה בקצרה, והפך הדבר. גם יש ארוכה וקצרה מעט, גם הרבה, עד שתגיע הארוכה הרבה גם הקצרה הרבה שלש עשרה שעות.[9] והנה יהיה בין מולד חשבוננו, פעמים, ובין מולד האמת אלה השעות לפנים או לאחור.[10]

אחרת, וזה יקרא 'המהלך האמצעי'. וככה עשו חכמי המזלות לדעת מקום השמש והלבנה והחמשה כוכבי לכת כנגד גלגליהם. ואחר כן יתקנו מקום כל אחד כנגד גלגל המזלות. והנה בעת התחברות המאורות צריכים אנו לתקן מקום הלבנה כנגד גלגל המזלות בעבור כי מוצקו רחוק ממוצק גלגל המזלות חמש מעלות שלימות. והנה אם היתה במרובע הימין למקום גובה גלגלה, הנה תרחק השמש קרוב מארבע שעות. ואם היתה הלבנה במרובע השמאלי ממקום גובה גלגלה, הנה יש צורך להוסיף על המולד י"ד שעות. והפך הדבר במרובע האחר. על כן אמרו חז"ל 'פעמים שבא בארוכה, פעמים שבא בקצרה' (ראש השנה כה א). ובשער השלישי אתן לך דרכים שתוכל לדעת בכל חדש מתי תבא בארוכה ומתי תבא בקצרה. והנה המהלך האמצעי הוא במהלך הלבנה בהיותה על מרובע מקום גבהות גלגלה ושפלותה, אם היתה עם השמש או לנוכחה, כי אם לא היתה כן, היא צריכה לתקון אחר כנגד גלגלה הקטן שהלבנה בו" (העיבור, שער ב, דף ג עמ' א-ב).

9. בספר העיבור (שער ב, דף ג עמ' ב) כתב ראב"ע שלפעמים יש להוסיף על המולד י"ד שעות. ובפירושו לשמות יב ב (עמ' עב) כתב: "פעמים יהיה בין מולד העבור למולד האמתי, פעם להוסיף ופעם לגרוע, קרוב מי"ד שעות. ובעבור זה אמרו אבותינו הקדושים 'פעמים בא בארוכה ופעמים בא בקצרה'".

10. מולד האמיתי הוא "מחברת באמת שהיא כנגד גלגל המזלות" (העיבור, סוד העיבור, דף ז עמ' ב). עוד הסביר שם יותר: "אפרש לך מה טעם מהלך האמצעי. דע, כי מוצק גלגל המזלות הוא מוצק הארץ בעצמו, לא יוסיף ולא יגרע. ומוצק גלגל הלבנה הוא רחוק ממוצק הארץ בראיות חמש מעלות ממעלות הגלגל, שהם ש"ס. וכשתעשה עגולה גדולה ותעשה עגולה קטנה בתוכה קרוב מהמוצק, והיא הארץ, והגדולה, והוא גלגל המזלות, ותרחק מהמוצק ה' מעלות, ויהיה חצי הגלגל רחוק מן הארץ והחצי השני קרוב ממנה, ובהיות הלבנה בחצי הגלגל העליון, יהיה מהלך הלבנה בהמתנה, בעבור כי תגיע הלבנה לרביעית גלגלה ועודנה לא הגיעה לרביעית גלגל המזלות. והנה המהלך האמצעי קרוב מי"ג מעלות ו' חלקים ראשונים ול"ה חלקים שניים (13° 6' 35"). ויש יום שהלבנה הולכת קרוב מי"ג מעלות, ויש יום, בעבור הגלגל הקטן, שתלך ט"ו מעלות, ומפאת גלגל המוצק לבדו מהלכו כמו י"ד מעלות" (סוד העיבור, דף י עמ' ב).

זו לשון רמב"ם: "השמש והירח וכן שאר השבעה כוכבים, מהלך כל אחד ואחד מהם בגלגל שלו מהלך שוה. אין בו לא קלות ולא כבדות, אלא כמו מהלכו היום כמו מהלכו אמש כמו מהלכו למחר כמו מהלכו בכל יום ויום. וגלגל של כל אחד מהם, אף על פי שהוא מקיף את העולם, אין הארץ באמצעו. לפיכך אם תערך מהלך כל אחד מהם לגלגל המקיף את העולם שהארץ באמצעו, שהוא גלגל המזלות, ישתנה הלוכו, ונמצא מהלכו ביום זה בגלגל המזלות פחות או יותר על מהלכו אמש או על מהלכו למחר. המהלך השוה שמהלך הכוכב או השמש או הירח בגלגלו, הוא הנקרא 'אמצע המהלך'. והמהלך שיהיה בגלגל המזלות שהוא פעמים יותר ופעמים חסר, הוא 'המהלך האמיתי'. ובו יהיה מקום השמש או מקום הירח האמיתי" (משנה תורה, הלכות קידוש החודש, פרק יא הלכות יג-טו).

ללבנה לבדה.[3] על כן אין חדש באמת כי אם חדש הלבנה.[4] והנה נבקש מתי ראשיתו.

והנה אמרו כל חכמי המזלות שתחלת החדש מרגע התחברות הלבנה עם החמה בחלק אחד.[5] וזהו שקראוהו קדמונינו "המולד".[6] וחכמינו חשבוהו במהלך האמצעי,[7] וככה עשו כל חכמי המזלות, ואחר כך תקנוהו.[8] וככה אמרו זכרונם

3. "כל חכמי המדות הביאו ראיות גמורות כי עצם הלבנה גוף מקבל אור השמש" (פירוש שמות כג כא, עמ' קסג). עוד כתב שם: "אין לה [לירח] אור בעצמה כי אם מהשמש. והעד, כי בהתחברה עמו עם ראש התלי או זנבו, לא תראה השמש אם היה ביום. ואם היתה לנכח השמש בלילה באחד המקומות הנזכרים, יהיה אור הלבנה נעדר" (פירוש שמות ג טו, עמ' לג-לד).

4. "אין ללבנה שנה כלל כאשר אין לשמש חדש כלל, כי לא יתחדש בשמש דבר, רק דבר החדוש הוא לאור הלבנה, ובעבור זה נקרא 'חדש' גם 'ירח', בעבור חדוש אור הלבנה" (פירוש שמות יב ב, עמ' עא). ראה ראב"ח: "מלת 'החדש' חצובה מ'חדוש', ואינה ראויה לומר אלא על חדש לבנה בלבד המתחדשות בו...ואשר אומרים 'חדשי חמה' או 'חדשי שנת החמה' הוא הרחבת הלשון, ולדמות ענין בענין שהוא דומה אליו משום צד, או מפני שחדשי חמה קרובין במדתן לחדשי לבנה, או מפני שהלבנה מתחדשת בכל חדש וחדש מחדשי חמה. וקראו לחלק אחד מי"ב חלקים בשנת חמה 'חדש' מפני שהלבנה מתחדשת בכל חלק מהן" (העיבור, מאמר ב שער א, עמ' 33).

5. "טעם 'החדש' – מרגע התחברות הלבנה עם השמש בחלק אחד כנגד גלגליהם עד פעם אחרת" (העיבור, שער ב, דף ג עמ' א). כוונתו באמרו "בחלק אחד" היא שהשמש והלבנה שניהם באותו האורך.

6. כגון במדרש תנחומא: "החדש הזה לכם – רבי ישמעאל אומר הראה לו הירח בלילה ואמר לו כזה אתם רואים וקובעים כן הלכה לדורות, ולמד להם מולד לבנה" (פרשת בא, סימן ו, עמ' רס"ה). בלשון רמב"ם: "בזמן שעושין על הראיה היו מחשבין ויודעין שעה שיתקבץ בו הירח עם החמה בדקדוק הרבה...ותחלת אותו החשבון הוא החשבון שמחשבין אותו בקרוב ויודעין שעת קבוצם בלא דקדוק אלא במהלכם האמצעי, הוא הנקרא 'מולד'" (משנה תורה, הלכות קידוש החודש, פרק ו הלכה א).

7. "טעם 'החדש' – מרגע התחברות הלבנה עם השמש בחלק אחד כנגד גלגליהם עד פעם אחרת. וזה יקרא 'המהלך האמצעי'" (העיבור, שער ב, דף ג עמ' א). אורך המהלך הזה ניתן בתלמוד: "אמר להם רבן גמליאל כך מקובלני מבית אבי אבא אין חדושה של לבנה פחותה מעשרים ותשעה יום ומחצה ושני שלישי שעה וע"ג חלקים (29 ימים, 12 שעות, 793 חלקים)" (ראש השנה כה א). ולשון ראב"ע: "החדש כ"ט יום וי"ב שעות ושתי ידות שעה גם שתי שלישיות עשירית שעה וחצי תשיעית ששית עשירית השעה, והם תשצ"ג חלקים" (העיבור, פתיחה לשער א, שער הספר). בפירושו לשמות הסביר: "ידענו כי מהלך הלבנה בגלגלה בנקודה הידועה כנגד גלגל המזלות, עד שובה אל הנקודה בעצמה, הם כ"ז יום ושלישית יום בקירוב. והנה נחשוב, כי התחברה עם השמש כשהיתה בנקודה הראשונה בתחלת מזל טלה. והנה בשובה אל ראש מזל טלה, לא מצאה השמש שם, כי כבר הלך במהלכו האמצעי כ"ז מעלות, כי מהלך שניהם בראיות גמורות הוא ממערב למזרח, הפך התנועה העליונה. והנה הלכה הלבנה באלה המעלות שכבר הלך השמש, גם הלכה הלבנה בחלקים שהלך השמש בלכת הלבנה המעלות הנזכרות שני ימים וקרוב מחמש שעות, התחברו שניהם לסוף כ"ט יום וחצי, וב' ידות שעה, וע"ג חלקים מחלקי ישראל" (פירוש שמות יב ב, עמ' ע).

8. "טעם 'החדש' – מרגע התחברות הלבנה עם השמש בחלק אחד כנגד גלגליהם עד פעם

השער השני

בראשית החדש

מצאנו אור השמש וכל הככבים עומד לעד, לא יוסיף ולא יגרע בעצמו.[1] רק כנגד מראה העין, בעבור היות הנראה במקום רחוק או קרוב, גם בעבור השתנות האויר בראשית היום או בחציו.[2] ואין אור מתחדש כי אם

---

1. "הלבנה, שהיא שפלה מהכל, אין לה אור כי אם מאור השמש. ואין ככה שאר המשרתים ולא הכוכבים העליונים, כי הם מאירים בעצמם" (הטעמים, נוסח א, שער א, עמ' 28). ראב"ח הביא חילוק דעות אם יש אור עצמי לכוכבים: "דעת רוב החכמים המעינים בחכמה היצירית בככבי לכת ובכל ככבי שבת, שהאור הנמצא בהם קנוי הוא להם מאור החמה הנפתל על גביהם...(עמ' 138) ויש מהם מי שאינו מודה בכל הטעם הזה, ואומר ודאי יש לנו לדון ולהעיר על אור הלבנה שהוא קנוי מאור החמה משני טעמים...ואין לנו בשאר ככבים אות אחת משתי אותות האלה. ומפני זה אנו מעמידים הדבר בספיקה ואומרים יכול יהיה אורן קנוי להם ונפרש עליהם ממקום אחר, ויהיו דומים ללבנה אשר האור קנוי לה מן החמה. או יכול הם זהירים מאליהם, ואנו מתדמים אותם אל המאור הגדול תחת אשר דמיתם אותם אל המאור הקטן. ואין לנו לגזור ולחתום על אחת משתי הדעות האלה כי אם בראיה גדולה וחזקה, ולא עלתה בידינו עד עתה" (צורת הארץ, שער ד, עמ' 135–139).
2. ראה ראב"ח: "רוב העם דומה להם במראית העין כי ערך גופן במזרח ובמערב גדול מערכו בחצי השמים, תמורת מה שראוי להמצא לצורת התבנית השטוח. ואין התוספת הנראית לרוב העם במזרח ומערב מפני רוב המרחק או מיעוטו, אבל הגורם לגודל גופן למראית העין היא צורת האויר אשר הם עולים בו ושוקעים, אשר הוא עבה במזרח ומערב ומרחיב את גוף העומד בתוכו למראית העין, כאשר אתה רואה האבנים השוקעים בקרקע המים גדולים מערך גופן חוצה מן המים. וכן הכוכב הנראה מתוך האויר העב אשר במערב ובמזרח גדול למראית העין מערך גופו הנראה בתוך אויר הרקיע בחצי השמים" (צורת הארץ, שער א, עמ' 13–14).

רק חלקים שנים עשר בשנת החמה. וכתוב "בחדש הראשון הוא חדש ניסן"
(אסתר ג ז), פירושו ככה: כן היה בשנה ההיא, כי בשנת העבור יהיה חשבון
החדש הראשון (באדר) [באייר]. על כן אין נכון לתרגם "בראשון" (יואל ב כג) –
"בניסן",[102] רק בעבור שיבינו אנשי הדור.

---

102. כך תרגם רבי יונתן בן עוזיאל על אתר.

שנת החמשים שנה" (שם כה ט–י).[96] והנה תחלת שנת השמטה כמו תחלת שנת היובל.[97] ואל תשתומם בעבור שלא החלה השנה מיום הזכרון, כי אם חשבנוהו שהיה ראש חדש ניסן ביום תקופת האמת, צריכה התקופה השלישית באמת להוסיף כעשרת ימים, בעבור תוספת מהלך שנת החמה על שנת הלבנה. גם בעבור היות מהלך החמה מתמהמה. על כן היתה ראשית השנה ביום הכפורים או בסכות.

ודע, כי אין ללבנה שנה, כי היא תקיף כל המזלות בעשרים ושבעה ימים ושלישית יום.[98] ובעבור כי שנים עשר חדשי הלבנה קרובים משנה תמימה, נקראת "שנת לבנה".[99] ובה יחשבו הישמעאלים. על כן יבאו מועדיהם, פעם בקיץ פעם בחרף.[100] ושנות ישראל תהיינה שוות בכל תשע עשרה שנה לשנות החמה באמת. והנה חשבון ישראל לבדו הוא האמת.[101]

ודע, כי אין בחשבון הכשדים אדר שני, כי חדשיהם אינם חדשי הלבנה,

---

96. משמע שאין דעתו כדעת המשנה ששונים בה: "באחד בתשרי ראש השנה לשנים ולשמיטין וליובלות" (ראש השנה, פרק א הלכה א), ובתלמוד בבלי הקשה: "יובלות באחד בתשרי הוא, יובלות בעשרה בתשרי הוא, דכתיב 'ביום הכפורים תעבירו שופר' (ויקרא כה ט)? הא מני רבי ישמעאל בנו של רבי יוחנן בן ברוקא היא, דתניא 'וקדשתם את שנת החמשים שנה' (שם כה י) מה תלמוד לומר. לפי שנאמר 'ביום הכפורים', יכול לא תהא מתקדשת אלא מיום הכפורים ואילך, תלמוד לומר 'וקדשתם את שנת החמשים', מלמד שמתקדשת והולכת מתחילתה..." (ראש השנה ח ב). אבל ייתכן שכוונת ראב"ע כאן היא שהיובל אינו מתחיל בכל תוקפו עד יום הכפורים, כמו שרואים מהמשך התלמוד שם.

97. משמע שלפי דעתו גם שנת השמיטה מתחילה מיום הכפורים ולא מראש חודש תשרי, ואין דבריו מתאימים עם המשנה בראש השנה ששמיטה מתחילה מאחד בתשרי.

98. "ידענו כי מהלך הלבנה בגלגלה בנקודה הידועה כנגד גלגל המזלות, עד שובה אל הנקודה בעצמה, הם כ"ז יום ושלישית יום בקירוב" (פירוש שמות יב ב, עמ' ע). בספר הלוחות של ראב"ע (דבריו הובאו בצפנת פענח, חלק א, עמ' 13) כתב חשבון יותר מדוייק: "הלבנה...סבבה כל הגלגל בכ"ז ימים וז' שעות ותשע"ה חלקים (27 ימים, 7 שעות, 775 חלקים)".

99. דברי ראב"ח: "השנה נאמרה בעיקר על שנת החמה, ובדמיון הדבר על דרך הדבור נאמרת על שנת הלבנה" (העיבור, מאמר ג שער א, עמ' 76). אורך שנת הלבנה חשב ראב"ע: "שנת הלבנה שנ"ד יום ושמונה שעות וארבעה חומשי שעה ושתי שלישיות חלק אחד משישית עשירית השעה, שהם מ' חלקים שניים (354 ימים, 8 שעות, 876 חלקים)" (העיבור, שער ב, דף ג עמ' א).

100. "הישמעאלים, בעבור שמועדיהם תלוים בימי חדשי הלבנה, ותחלת החדש מליל ראות הלבנה, וראו כי י"ב חדש יש בשנת החמה, לא מצאו חשבון יותר קרוב מזה, כי אין בין שני המספרים רק י"א יום. על כן שמו כל שנותיהם שנות הלבנה. וכל שנה ישתנה מועד פסחם אחורנית י"א יום, עד שיהיו ל"ג שנות החמה הם ל"ד שנות הלבנה, כי אלה אינם על דרך התולדות" (פירוש שמות יב ב, עמ' עא).

101. "הנה התברר לך כי כלל שנותינו ישוב בכל המחזור שנות החמה, וחדשינו תמיד חדשי הלבנה, וברוך השם שהדריכנו בדרך ישרה" (פירוש שמות יב ב, עמ' עג).

(שם ח כה). ואחזיהו מלך "בשנת שבע עשרה ליהושפט" והוא מלך שנתים (מלכים־א כב נב), ומלך אחריו יהורם אחיו "בשנת שמונה עשרה ליהושפט" (מלכים־ב ג א). וככה רבים.

והנה "ועשת את התבואה לשלש השנים" (ויקרא כה כא), האחת חצי השנה הששית, וכל השנה השביעית, וחצי השנה השמינית, כי "עד בא תבואתה" דבק עם "השנה השמינית" (שם כה כב), כאלו הוא כתוב "וזרעתם את השנה השמינית ואכלתם מן התבואה ישן עד בוא תבואתה, ותספיק לכם עד בוא השנה התשיעית".

וכמוה "מיום הראשון עד יום השביעי" (שמות יב טו) איננו דבק עם הקרוב אליו, רק עם "כל אוכל חמץ וגו'" (שם) הרחוק.[93] וככה "וירא ישראל את מצרים מת על שפת הים" (שם יד ל) – וירא ישראל, על שפת הים, את מצרים מת. כי "ירדו במצולות כמו אבן" (שם טו ה), וכתוב "תבלעמו ארץ" (שם טו יב).[94] וככה "לבא מפניך במצור" (דברים כ יט) דבק עם "ואותו לא תכרות" (שם).[95] ורבים ככה.

והיובל הוא "שבע שבתות שנים" (ויקרא כה ח). ותחלת היובל מיום הכפורים, וכן כתוב "ביום הכפורים תעבירו שופר בכל ארצכם, וקדשתם את

וגלה יהויכין בנו. ואל תתמה בעבור שתמצא כתוב 'בשנת שבע' לנבוכדנצר (ירמיה נב כח), וככה על צדקיהו היא 'שנת שמונה עשרה' (שם נב כט), כי במספר המלכים כאלה וכאלה".

93. כתוב "שבעת ימים מצות תאכלו, אך ביום הראשון תשביתו שאר מבתיכם, כי כל אכל חמץ ונכרתה הנפש ההוא מישראל, מיום הראשון עד יום השבעי", ופירש בו ראב"ע: "דע כי 'מיום הראשון עד יום השביעי' אינו דבק בקרוב אליו שהוא 'ונכרתה', רק אם 'כל אוכל חמץ'" (פירוש שמות יב יט).

94. "כתוב כי המצריים טבעו בים, והים לא השליכם אל היבשה, כי כן כתוב 'תבלעמו ארץ' (שמות טו יב). על כן פירוש 'וירא ישראל את מצרים מת על שפת הים' – שהיו ישראל על שפת הים וראו מצרים מת כאשר טבע" (פירוש שמות יד ל). אולם בפירושו הקצר לשמות יד ל כתב: "יש ממצרים שהשליכם הים אל שפתו אחר שמתו, ויש שצללו כעופרת ובלעתם הארץ למטה מהים".

95. כתוב "כי תצור אל עיר ימים רבים להלחם עליה לתפשה, לא תשחית את עצה לנדח עליו גרזן, כי ממנו תאכל ואתו לא תכרת, כי האדם עץ השדה לבא מפניך במצור. רק עץ אשר תדע כי לא עץ מאכל הוא, אתו תשחית וכרת, ובנית מצור על העיר אשר הוא עשה עמך מלחמה עד רדתה" (דברים כ יט-כ). ראב"ע כתב שם: "זה פירושו. כי ממנו תאכל ואותו לא תכרות, כי האדם עץ השדה. והטעם, כי חיי בן אדם הוא עץ השדה...'ואותו לא תכרות' דבק עם 'לבא מפניך במצור'. הנה לא תשחית עץ פרי שהוא חיים לבן אדם, רק מותר שתאכל ממנו. ואסור לך להשחיתו כדי שתבא העיר מפניך במצור. והעד על זה הפירוש שהוא נכון שאמר 'וכרת ובנית מצור'".

ואפרש לך "ועשת את התבואה לשלש השנים" (שם כה כא).[87] דע, כי רגע נשאר ביום התורה חשוב כמו יום. "וביום השמיני ימול בשר ערלתו" (שם יב ג), והנה הנולד ביום ששי לפני בוא יום השבת חצי שעה, הוא נמול בקר יום הששי, והנה לא עלו לו מעת לעת שבעה ימים שלמים.[88] וככה יום בשנה חשוב שנה.[89] והנה יש מי שיספור אותה, ויש מניחה על השלימה.[90] והנה כתוב "תשאו את עונותיכם ארבעים שנה" (במדבר יד לד), וזה המעשה היה בשנה השנית, והשם לא יעניש לפני העון. על כן מספר הארבעים הוא שלא עברו את הירדן עד "בעשור לחדש הראשון" (יהושע ד יט) בשנת אחת וארבעים. והפך זה "אכלו את המן ארבעים שנה" (שמות טז לה). ובמקרא ה"שבע עשרה" (מלכים-א יד כא) היא "שנת שמנה עשרה" (שם טו א),[91] גם "תשע עשרה" (ירמיה נב יב, ראה שם נב כט).[92] "ובשנת אחת עשרה" (מלכים-ב ט כט), ו"בשנת שתים עשרה"

'ספיח', הנה לנגדם 'מן השדה תאכלו את תבואתה' (ויקרא כה יב)" (פירוש ויקרא כה כ). בפירושו לשמות יב ב (עמ' עד) כתב: "נוכל ללמוד מדרך התורה גם מדרך התולדת, שאמר בתחלה 'לא תזרעו' (ויקרא כה יא) ואחר כך 'ולא תקצרו' (שם), כי הזריעה סמוכה לתשרי ולא לניסן. ועוד, אם שמנו תחלת השמיטה מניסן, מי שזרע בשנה הששית לא יקצור בשנה השביעית, כי הקציר אחר ניסן הוא, וכבר נכנסה שנת השמיטה. גם לא יזרע בשנת השמיטה. והנה כי דברי חכמינו זכרונם לברכה הם נכונים".

87. כתוב "וכי תאמרו מה נאכל בשנה השביעת, הן לא נזרע ולא נאסף את תבואתנו. וצויתי את ברכתי לכם בשנה הששית ועשת את התבואה לשלש השנים. וזרעתם את השנה השמינת ואכלתם מן התבואה ישן, עד השנה התשיעת עד בוא תבואתה תאכלו ישן" (ויקרא כה כ-כב). ראב"ע פירש על אתר: "הנכון בעיני שפירוש 'ועשת את התבואה' – שאתן ברכה בששית שיספיק ויוסיף עוד שנה, ובשנת היובל יהיו שלש שנים בלא תוספת".

88. "המשל, שנולד ביום ששי לפני שקוע השמש בעיר הזאת שהיא רדוס בתקופת תמוז, והיום ארוך ט"ז שעות שלימות, והנה יומל הבן בקר יום ששי שהוא יום שמיני כפי חשבון התורה, והוא יום שביעי ואיננו שלם רק יחסרו ט"ז שעות" (פירוש דניאל א א).

89. "יום אחד בשנה חשוב שנה" (ראש השנה ב ב).

90. "משפט העברים פעם יום בשנה חשוב שנה, ופעם לא יחשבו שנה עד תמה. הלא תראה כתוב כי דוד מלך ארבעים שנה (מלכים-א ב יא), ובמקום אחר הוסיף ששה חדשים (שמואל-ב ה ה). וכתוב כי מלך נדב בשנת שתים לאסא (מלכים-א טו כה), ומלך בעשא אחריו בשנת שלש לאסא (שם טו כח). וככה תמצא 'שתים עשרה' (מלכים-ב ח כה) גם 'אחת עשרה' (שם ט כט). ו'שמונה עשרה' (ירמיה נב כט) גם 'תשע עשרה' (שם נב יב). ורבים ככה" (שיטה אחרת לבראשית יא י, עמ' קפח).

91. "הלא ידענו כי ירבעם ורחבעם בחדש אחד מלכו, והנה כתוב כי רחבעם מלך שבע עשרה שנה (מלכים-א יד כא), וימלוך אביה בנו תחתיו בשנת שמונה עשרה לירבעם (שם טו א)" (פירוש דניאל א א).

92. "'שמונה עשרה' (ירמיה נב כט) גם 'תשע עשרה' (שם נב יב)" (שיטה אחרת לבראשית יא י, עמ' קפח). ובפירושו לדניאל א א הסביר: "הנה מלך יהויכין בנו שלשה חדשים ותפשו נבוכדנצר בשנת שמונה למלכו, והיא שנת עשתי עשרה ליהויקים, ומלך צדקיהו עשתי עשרה שנה, והיא שנת תשע עשרה למלך נבוכדנצר, והנה בשלשה חדשים נהרג יהויקים

ועוד[80] מצאנו כתוב בסכות "תקופת השנה" (שמות לד כב), וכתוב "בצאת השנה" (שם כג טז). והנה יום צאת השנה שעברה תכנס השנה הבאה.[81] ומצאנו כתוב כי צוה ה' מצות הקהל לקרא כל התורה[82] בחג הסכות בשנת השמיטה (דברים לא י–יג), וכתוב "למען ילמדו" (שם לא יב). ואיננו נכון להיות זה אחר חצי השנה.[83] ואל יקשה בעיניך מלת "מקץ שבע שנים" (שם לא י),[84] כי הנה כמהו "מקץ שבע שנים תשלחו איש את אחיו" (ירמיה לד יד). כי שנים קצוות יש לכל דבר, והנה יש לו ראשית וסוף.[85] והיתה תחלת שנת השמיטה בתשרי, שהוא החדש השביעי, בעבור כי אז יחל חצי השנה שהזריעה תהיה בו. וככה כתוב בשנת השמיטה "לא תזרע(ו)" (ויקרא כה ד), ועוד "וזרעתם את השנה השמינית" (שם כה כב).[86]

'חג הקציר' (שמות כג טז). ואם זה הראשון נעשה בימי אביב השעורים, לעולם השני יהיה בימי תחלת קציר חטים, אז יבוא חג סוכות באסיף".

80. עתה בא להוסיף שלכמה עניינים מתחילים את השנה מחודש תשרי. וכך כתב בספר העיבור: "לולא כי לא ארצה להאריך הייתי מביא ראיות מן התורה שתחלת השנה מתשרי. הלא תראה הכתוב אומר 'לא תזרע' (ויקרא כה ד) ואחר כן 'לא תקצור' (שם כה ה). ושנת השמטה תוכיח. גם היובל בעשר לתשרי. וקריאת התורה בתחלת השנה, לא בחציה. על כן כתיב 'תקופת השנה' (שמות לד כב). רק ניסן הוא תחלת יציאתנו ממצרים. גם קדמונינו תקנו בראש השנה 'זה היום תחלת מעשיך זכרון ליום ראשון' (תפילת מוסף לראש השנה)" (שער ב, דף ה עמ' ב־דף ו עמ' א). בפירושו לשמות יב ב (עמ' עד) כתב: "האומות אומרים כי אם השנה בנויה מהחדשים, הנה חדש האביב הוא יסוד וראש, אם כן למה תחלו מספרכם מהחדש השביעי ותאמרו כי הוא ראש השנה? והתשובה, כבר הזכירו חז"ל כי 'ארבעה ראשי שנים הם' (משנה, ראש השנה פרק א הלכה א)".

81. "וחג [האסיף תקופת השנה] – כתוב בשני מקומות, ושם 'בצאת השנה' (שמות כג טז), כי סוף השנה הוא תחלת השנה האחרת" (פירוש שמות לד כב). משמע ש"תקופת השנה" פירושו התחלת סיבוב השנה.

82. אולם במשנה שונים: "קורא מתחלת 'אלה הדברים' עד 'שמע', ו'שמע', 'והיה אם שמוע', 'עשר תעשר', 'כי תכלה לעשר', ופרשת המלך, וברכות וקללות, עד שגומר כל הפרשה" (סוטה, פרק ז הלכה ח).

83. "ראינו מפורש כי קדוש שנת היובל בחדש השביעי בעשור לחדש (ויקרא כה ט–י). ועוד, כי צוה השם לקרוא בתורה במועד שנת השמיטה בחג הסוכות (דברים לא י–יא), 'למען ישמעו ולמען ילמדו' (שם לא יב). ואם בתחלת שנת השמיטה תהיה מניסן, למה לא צוה לקרוא בתורה בחג המצות. והנה חצי שנה עמדו בטלים" (פירוש שמות יב ב, עמ' עד).

84. כוונתו לפסוק "ויצו משה אותם לאמר מקץ שבע שנים במעד שנת השמטה בחג הסכות", שמשמע שמצוות הקהל היא בשנה שלאחר השמיטה, בשנה השמינית.

85. כך פירש ראב"ע על אתר: "מקץ שבע שנים – תחלת השנה" (פירוש דברים לא י). אולם במשנה שונים: "פרשת המלך כיצד? מוצאי יום טוב הראשון של חג בשמיני במוצאי שביעית עושין לו בימה של עץ בעזרה והוא יושב עליה, שנאמר 'מקץ שבע שנים במועד וגו'' (דברים לא י)" (סוטה פרק ז הלכה ח), פירשו "מקץ" – בסוף.

86. "אמרו הצדוקים, כי 'תבואתנו' ראיה כי תחלת השנה מניסן. ואין זו ראיה, כי יתכן להיות פירוש 'תבואתנו' – מה שתוציא הארץ מעצמה. ואם אמרו לא תקרא 'תבואה' כי אם

בחדש הראשון.[75] והשם הנכבד קבלו בראיות ברורות.[76] רק שגג שגגה קטנה, שלא עִבֵּר השנה ביום שֶׁעָבַר לפני החדש הראשון, וזהו "עבר ניסן בניסן ולא הודו לו" (משנה, פסחים פרק ד הלכה ט).[77]

וכאשר יבא חדש לבנה פעם אחרת בימי האביב בארץ ישראל, אז תעלה שנה אחת, בין שתהיה השנה שנים עשר חדש או שלשה עשר. על כן לא קראו בלשון הקדש חדש האביב "ניסן" רק "ראשון". וככה כל החדשים. על כן לא תמצא בעשרים וארבעה ספרים שמות החדשים הנודעים היום, שתחילתם ניסן, רק בספרי בני הגולה.[78] והנה ראשית שנת ישראל איננה מיום התקופה, רק מיום ראש חדש הלבנה. ואחר שידענו כי זה ראשון, נעשה המועדים בחדש השביעי ממנו. כי אם היה הפסח בימי אביב השעורים, יבא חג שבועות בקציר וסכות באסיף.[79]

---

75. אף על פי שכתוב "ויועץ המלך ושריו וכל הקהל בירושלם לעשות הפסח בחדש השני. כי לא יכלו לעשות בעת ההיא, כי הכהנים לא התקדשו למדי והעם לא נאספו לירושלם" (דברי הימים־ב ל ב–ג), לדעת ראב"ע חגגו את הפסח בחודש הראשון אלא שעיברו ניסן בניסן, ולכך קראו הכתוב "חדש השני".

76. "חלילה חלילה שעשה חזקיהו רעות כאלה, כי הכתוב דבר עליו לא סר מכל מצות ה' ימין ושמאל (ראה מלכים־ב יח ו). גם הוא אמר בתפלתו 'זכר נא את אשר התהלכתי לפניך [באמת ובלבב שלם] והטוב בעיניך עשיתי' (שם כ ג)...והנה עיבר השנה, והפסח שעשה פסח ראשון היה, ובמועדו נעשה. והעד, כי השם נגע האוכלים בפסח בלא ככתוב (דברי הימים־ב ל יח), ואם לא נעשה במועדו למה נגעם השם, אחר שלא היה הפסח מקובל לפניו. ואלו חטא חזקיהו, איך התפלל בעדם, ושמע השם תפלתו וירפא העם (שם ל כ)" (פירוש שמות יב ב, עמ' עג–עד).

77. "אם טען הטוען, הלא החכמים זכרונם לברכה לא הודו לו שעיבר ניסן בניסן. התשובה, אמת אמרו, כי מנהג כל בית דין להסתכל בסוף חדש אדר אם הוא צריך לעבר השנה או לא. והנה חזקיהו לא עשה כן, כי שגג שגגה קטנה לעבר השנה בראש חדש" (פירוש שמות יב ב, עמ' עד).

78. "ניסן ואייר וסיון וכל שמות החדשים אינם לשון קדש, כי אם לשון כשדים. על כן לא תמצא במקרא כתוב אחד מהם, רק בנבואות זכריה ודניאל ועזרא ומגלת אסתר שהיו בגולה. וככה הפירוש [לפסוק 'בחדש הראשון הוא חדש ניסן' (אסתר ג ז)] – בחדש הראשון, שנקרא ניסן בלשון כשדים" (פירוש שמות יב ב, עמ' עא). מקור לזה בתלמוד ירושלמי: "אמר רבי חנינה שמות חדשים עלו בידם מבבל. בראשונה 'בירח האיתנים' (מלכים־א ח ב), שבו נולדו אבות, מתו אבות, נפקדו אימהות. בראשונה 'בירח בול' (שם ו לח), שבו העלה נובל, והארץ עשויה בולות בולות, שבו בוללים לבהמה מתוך הבית. בראשונה 'בירח זיו' (שם ו לז), שבו זיוו של עולם, הצמחים ניכרין והאילנות ניכרין. מיכן והילך 'ויהי בחדש ניסן שנת עשרים' (נחמיה ב א), 'ויהי בחדש כסלו שנת עשרים' (שם א א), 'בחדש העשירי הוא חדש טבת' (אסתר ב טז)" (ראש השנה, פרק א הלכה ב).

79. ראב"ע בא לפרש המשך הפסוקים "את חג המצות תשמר...למועד חדש האביב...וחג הקציר...וחג האסף" (שמות כג טו–טז). פירושו הוא שאם יחוגו את הפסח בחדש האביב, אז יבוא חג שבועות בימי הקציר, וחג הסוכות בימי האסיף. השווה פירושו הקצר לשמות יג ד (עמ' רסד): "טעם 'בחדש האביב', שיעשו אותו בימי אביב, כאשר אמר על חג עצרת

תשרי, והנוצרים מתקופת טבת. רק השבוש בא להם בעבור כי מספר שנת החמה בחשבונם איננו נכון.[70]

וכאשר נחפש לדעת שנת התורה, מצאנו כתוב "החדש הזה לכם ראש חדשים" (שמות יב ב), והוא ראשון לחדשי השנה. וכתוב "היום אתם יוצאים בחדש האביב" (שם יג ד), וכן "שמר את חדש האביב" (דברים טז א).[71] והטעם כי חשבון ישראל בחדשי הלבנה, והנה החדש שימצא אביב בארץ ישראל הוא ראשון לחדשי השנה. וראש החדש ראשית השנה, עברה התקופה או לא עברה.[72] רק שיש לבית דין לשמר שיעשה הפסח והאביב נמצא,[73] בעבור תנופת העמר.[74] וברוב השנים דבק האביב בתקופה. ויש פעמים שירחק מעט בעבור רוב הגשמים או שתהיה שנת בצרת.

והנה תחלת שנת ישראל על פי בית דין, כאשר הוא כתוב "ויועץ המלך" (דברי הימים־ב ל ב) חזקיהו. והנה עִבֵּר השנה לעצת בית דין, והפסח שעשה היה

70. "אין שנתם [של הערלים] מדוקדקת היטב, כי קבעוה שס"ה ימים שלמים ורביעית היום, וזה אינו אמת כלל" (שלוש שאלות, עמ' א).

71. "פירוש 'אביב' כמו בְּכּוּר, כי הוא מגזרת 'אב', שהוא כמו ראשון לאשר הוליד, או חכם לתלמיד שלמד, וכתוב 'כי השעורה אביב' (שמות ט לא). והעד, שאמר בחג שבועות 'בכורי קציר חטים' (שם לד כב)" (פירוש שמות יג ד). ובפירושו לשמות כג טז הגדיר את האביב שלפנינו: "הוא בכורי השעורים".

72. ולא כדעת הנוצרים: "הערלים יפרשו...ויהיה 'בחדש האביב' (שמות יג ד) [לדעת הערלים] – שנכנסה החמה במזל טלה" (שלוש שאלות, עמ' א). אולם, אף על פי שראש חודש ניסן יכול להיות לפני התקופה, אבל רוב חג הפסח מוכרח להיות לאחר התקופה, כדברי חז"ל: "שלח ליה רב הונא בר אבין לרבא כד חזית דמשכה תקופת טבת עד שתסר בניסן עברה להההיא שתא ולא תחוש לה, דכתיב 'שמור את חדש האביב', שמור אביב של תקופה שיהא בחדש ניסן" (ראש השנה כא א).

73. "תנו רבנן, על שלשה דברים מעברין את השנה: על האביב, ועל פירות האילן, ועל התקופה" (סנהדרין יא ב). אולם אף על פי שיש לבית דין לשמור את האביב, אבל אין האביב המבחן היחידי שיש להתחשב בו: "אתן לך כלל, אף על פי שישראל בבית המקדש היו מסתכלין אל האביב, לא היה עבור השנה מסור להם כי אם לבית דין, שהיה מסתכל לדברים אחרים חוץ מהאביב, ככתוב במשנה" (פירוש שמות יב ב, עמ' עב). ובפירושו לדברים טז א (עמ' רסא) כתב מפורש שלפעמים אין האביב הקובע: "המכחישים אמרו כי לא נעשה פסח בלא אביב, וכבר השיבותי על הבליהם. גם אנחנו נודה כי בית דין היה מסתכל לאביב".

74. תנופת העומר היא ביום שני של חג הפסח: "כי תבאו אל הארץ אשר אני נתן לכם וקצרתם את קצירה, והבאתם את עמר ראשית קצירכם אל הכהן. והניף את העמר לפני ה' לרצנכם, ממחרת השבת יניפנו הכהן" (ויקרא כג י–יא).

אדא.[66] רק היא על המהלך האמצעי, ותקונה קרוב.[67] וזאת היא ראשית שנת יודעי בינה לעתים לדעת המעשים.[68] גם זאת תחלת שנת היונים הראשונים.[69] וזאת היא תקופת ניסן. והפרסים יחלו שנתם מתקופת תמוז, והכשדים מתקופת

---

66. חשבון שנת החמה לדעת רב אדא קרוב לזה של תלמי, נמצא שלדעת רב אדא השנה היא מהשתוות אביבית אחת עד השתוות אביבית שניה כדעת תלמי: "תלמי אומר כי השנה חסרה מרביעית היום חלק אחד מש'. ועל תקופת רב אדא קרוב מחלק מש"ס. ודעת תלמי קרובה לדעתינו" (העיבור, סוד העיבור, דף ח עמ' א). וכן כתב ראב"ח: "הראוי לסמוך עליו מדבריהם הוא דעת אפרכש ובטלמיוס האומרים שנת החמה הוא שס"ה יום ושש שעות פחות שני חלקים מכ"ה בשעה, שהן חלק אחד מג' מאות ביום. והיה הדעת הזה ראוי לסמוך עליו מפני שהוא יוצא על דעת רבותינו זכרונם לברכה את סוד העבור, ואין הפרש בין דעת זה בימי השנה ובין דעת רב אדא בר אהבה דבר שיהיה חושש לו מפני מיעוטו" (צורת הארץ, שער ב, עמ' 76).

67. "אל תסמוך על תקופת שמואל, רק על תקופת רב אדא. אף על פי שהיא צריכה לשני תיקונים. האחד, בעבור שמהלך השמש פעם בארוכה ופעם בקצרה. וזה השינוי אינו במהלך השמש, כי שוה הוא לעולם, רק הוא כנגד מראה הנקודה בגלגל המזלות. והתקון השני בעבור תנועת גלגל קטן בראש טלה" (פירוש שמות לד כב). בספר העיבור הסביר יותר: "אפרש לך השנים תיקונים. התקון האחד שתקופתו כנגד גלגל השמש, על כן חלקם בשוה. ובעבור שידענו שמוצק גלגל השמש רחוק ממוצק הארץ, שהוא מוצק גלגל המזלות, וגובהה מקום השמש קרוב הוא מרביעית הגלגל ממקום מחברת הגלגלים הגבוהים, הוא הנקרא 'קו הצדק'. והנה השמש תכנס בשני ימים שלמים וחלק משעה בטלה כנגד גלגל המזלות קודם שתכנס בטלה כנגד גלגלה. והנה יש בין תקופת האמת היום לתקופת רב אדא במהלך האמצעי שני ימים. ובעבור שמקום גובה השמש קרוב ממזל סרטן, שהוא סוף הצפון, ומקום השפלות קרוב ממזל גדי, שהוא סוף הדרום, על כן בין שתי התקופות קרוב משני ימים. ובעבור כי בתקופת תשרי השמש ברביעית גלגלה ממקום גבהותה, הנה יש לנו לחסר שתי מעלות פחות חלק אחד. ומרחק זה הוא מהלך השמש בשני ימים. על כן היתה תקופת רב אדא מחלוקת והתקופה של מראה עינים שוה בשוה. והתקון השני, דע כי מחלוקת גדולה בין חכמי המזלות בעלי הראיות ובין חכמי המזלות בעלי המשפטים והצורות. כי אנשי הצורות אומרים כי סדני הגלגל יעלו וירדו. ואחרים אמרו שיש גלגל קטן במקום מזל טלה ומאזנים שיתגלגל לצפון ולדרום. על כן תהיינה מעלות השמש בחצי היום אם הגלגל בצפון יותר מאשר הם באמת, והפך הדבר כאשר יהיה הגלגל בפאת דרום. והשתבשו על מספר המעלות. יש אומרים שהם שמונה. ואחרים אמרו שהם עשר מעלות ושתי שלישיות מעלה. והנה תלמי המלך קרב מדרך העבור, והוא האמת כנגד גלגל המזלות בלא התקון הראשון. והנה היום חייב האדם להוסיף ארבע מעלות, ועוד יגיע עד שמונה" (סוד העיבור, דף י עמ' א).

68. כתוב "ומבני יששכר יודעי בינה לעתים לדעת מה יעשה ישראל" (דברי הימים-א יב לג). ראב"ע פירש בו: "'יודעי בינה לעתים', כבר פירשו רבותינו זכרונם לברכה (בראשת רבה, פרשה עב סימן ה, ועוד) שהיו מחשבי עיבורי השנים" (פירוש קהלת ח ה).

69. "תלמי וחביריו אומרים כי יחסר חלק משלש מאות ביום, והוא קרוב ממהלך העבור" (פירוש ויקרא כה ט, עמ' צג-צד).

אל הנקודה הראשונה שהיתה שם בתחלה תעלה לו שנה תמימה.[61] וראשית תקון מהלך השמש ממקום הגבהות.[62] וראשית תקון המשרת מרגע מחברתו עם השמש, כי אז יהיה המשרת בגבהות גלגלו הקטן.[63] גם הלבנה תהיה בגבהות גלגל המוצק.[64] ואלה הראשיות אינן צריכות לכל אדם.

על כן אמרו חכמי התולדת כי האמת להיות ראשית השנה מנקודת המחברת אשר משם תחל השמש להיות קרובה אל הארץ הנושבת.[65] וזו היא תקופת רב

---

61. "ידוע שחיי בני אדם נמנים לפי שנות השמש, כימיהם של כל הדברים הגדלים כגון העצים וזולתם" (פירוש רס"ג לבראשית, פרשת נח, עמ' 342). וכן כתב ראב"ח: "שנת החמה הוא...זה הוא גדר השנה המפרש את טעמה והמעמיד את ענינה אשר עליו מונים כל האומות את שנותם וכל בני אדם את ימות חייהם" (העיבור, מאמר ג שער א, עמ' 76).

62. "גבהות מקום הגלגל כאשר יגיע אליו המשרת במהלכו האמצעי אין צורך לתקון, כי אז יהיה מהלכו האמצעי כמו מהלכו המתוקן" (אבן אלמתני, עמ' 297). ראב"ח הסביר את התיקון: "סדר חשבון מעמד החמה במהלכה המתחלף. הוי יודע מעמד החמה במהלכה השוה לעת שתרצה לדעת מעמדה במהלך המתחלף, כאשר למדת לדעת המהלך השוה מן התאריך המתוקן. וכתוב המהלך השוה על הקלף ושומרהו. והוציא מן המהלך השוה ההוא גובה רום החמה שהיה בראש המחזור רנ"ז, ע"ה מעלות וחצי מעלה שהן ל' שברים. והנשאר מהמהלך השוה אחר הוצאת גובה הרום ממנו, הוא חק המרחב לחמה בעת ההיא..." (ספר חשבון מהלכות הכוכבים, שער י, עמ' סו). כמו כן כתב רמב"ם: "אם תרצה לידע מקום השמש האמתי בכל יום שתרצה, תוציא תחלה מקומה האמצעי לאותו היום על הדרך שבארנו, ותוציא מקום גובה השמש, ותגרע מקום גובה השמש ממקום השמש האמצעי, והנשאר הוא הנקרא 'מסלול השמש'..." (משנה תורה, הלכות קידוש החודש, פרק יג הלכה א).

63. "לעולם לא יתחבר השמש עם אחד המשרתים העליונים שעליו, שהם שצ"מ (שבתאי, צדק, מאדים), רק ברגע היות המשרת בגבהות גלגלו הקטן" (משפטי המזלות, עמ' קס"ו). ראב"ח כתב: "הרוצה לדעת מקום חמשה הכוכבים האלה במהלכן המתחלף הנראה להם... וכשתדע שני המהלכות האלה שהן השוה והחק, תגרע גובה הרום לכוכב שאתה חושב לו ממהלכו השוה, ויהיה הנשאר מרחק מרכז מגובה רומו, ואתה מביא אותו אל לוחות תקון הכוכב..." (חשבון מהלכות הכוכבים, שער י, עמ' סט-ע).

64. "עשו חכמי ישראל כחכמי המזלות להוציא מקום מחברת לבנה עם השמש במהלך האמצעי, ואחר כן יתקנו מקומם כפי המרחק ממקום גובהם" (העיבור, סוד העיבור, דף י עמ' ב). עוד כתב שם (שער ב, דף ג עמ' ב): "המהלך האמצעי הוא במהלך הלבנה בהיות על מרובע מקום גבהות גלגלה ושפלותה, אם היתה עם השמש או לנוכחה, כי אם לא היתה כן, היא צריכה לתקון אחר כנגד גלגלה הקטן שהלבנה בו". ראה ראב"ח שכתב: "מקום הלבנה כשהיא נדבקת בחמה בחלק אחד מן הרקיע במולד החדש בחשבון השוה, יהיה מרכז ההקפה עומד עם החמה במהלכה השוה בחלק אחד מאופן המזלות, אין ביניהם הפרש, ויהיה מרכז ההקפה בעת ההיא בנקודת גובה הרום מהאופן הסובל. ומן העת ההיא והלאה יהיה מרכז ההקפה מתגלגלת מגובה רום הסובל לפאת מזרח..." (צורת הארץ, שער ג, עמ' 107–108).

65. "טעם ה'שנה' – שוב השמש אל נקודת מחברת שני הגלגלים הגדולים ששם תחלת הצפון" (העולם, עמ' 9). וזוהי דעת חכמי יון וערב, הובאו לעיל בראש השער.

במזל מאזנים.[53] גם כל אדם יוכל לראות הדמיון בעגול הנחשת כשהוא כדור וכאשר איננו כדור.[54] ועל כן כל פתי שידע תקופת שמואל ושמות המזלות וחנכ"ל שצ"ם,[55] מחשב בלבו שהוא מחשב בתקופות ובמזלות, והוא לא שמע שמועת החכמה, אף כי יריח ריחה או יטעם טעמה.

והנה התורה לא הצריכתנו לדעת מתי היא התקופה ויומה, אף כי שעתה. ושאלה היתה לפני הרב האיי למה נהגו ישראל הדרים במערב להשמר שלא ישתו מים בשעת התקופה.[56] והשיב כי נחוש בעלמא הוא. בעבור שהיא תחלת השנה או תחלת רביעתה, לא ירצו לשתות מים שימצאו חנם. על כן יאכלו בה כל מתוק להיות שנתם מתוקה.[57] ואני אומר מתוקה שנת העובד השם הבוטח בו לבדו. והנה היודעים תקופת האמת לא אמרו כי תזיק לאוכל ולשותה.[58] ודבר הניפוח הוא שיחת הזקנות.[59]

ועתה אדבר על תחלת השנה. ואומר בתחלה כי כל עגול אין לו ראשית, רק ברצון איש ואיש.[60] אכן ראשית שנת כל אדם מרגע הולדו, ובשוב השמש

---

53. "ידענו כי במולד תשרי אם היתה הלבנה ברביעית גלגלה העליון כנגד המוצק, יהיה המרחק בחצי היום שהוא נולד קודם חצות י"ד שעות, ושש שעות עד הלילה, הנה עשרים שעות" (העיבור, סוד העיבור, דף יא עמ' ב). ובפירושו לויקרא כג ג (עמ' פא-פב) כתב: "גם פעמים היה הקביעות בתשרי יום חמישי, ולא נראית הלבנה בליל שבת, והיה האויר זך, וזה יקרה בכל שנה שהמולד קרוב מחצי היום, והיתה הלבנה בחצי הגלגל הגבוה".

54. "כלי נחושת" הוא שם שראב"ע קרא לאצטרולב (astrolabe): "קראתיו 'כלי נחושת' מפני שרובם עושים אותו מנחושת" (כלי נחושת, שער א, עמ' ז).

55. ראשי תיבות לשמות שבעה כוכבי לכת ("משרתים"): חמה, נוגה, כוכב־חמה, לבנה, שבתאי, צדק, מאדים.

56. היינו בתחילת כל תקופה ותקופה. מנהג זה הביא רמ"א: "מנהג פשוט שלא לשתות מים בשעת התקופה, וכן כתבו הקדמונים, ואין לשנות" (שולחן ערוך, יורה דעה, סימן קטז, סעיף ה).

57. "כבר שאלו חכמי קרואן לרבינו האי זכרונו לברכה למה נהגו שלא לשתות מים בשעת התקופה. והשיב, ניחוש בעלמא הוא. כי בעבור היות התקופה תחלת השנה, על כן לא נהגו היהודים לשתות בה מים בעבור שאין להם דמים, על כן יאכלו כל מתוק להיות שנתם מתוקה" (העיבור, סוד העיבור, דף ט עמ' א).

58. ראב"ח כתב כיוצא בזה: "המנהג הנוהג בארצות האל שאדם נשמר לשתות מים בשעת התקופה דברי הבאי הם בעיני, כי אין אדם יכול לדעת שעת התקופה במקומו אם לא יהיה יודע כמה מרחק מקומו בארך מקצה המזרח, ולא יתכן זה לכל אדם. ואלו היה אדם מוצא לענין הזה זכרון בדברי הראשונים, היה לו לעיין בו ולתת טעם, אבל עתה כיון שאינו נמצא בדבריהם אין לנו לחוש עליו" (העיבור, מאמר ג שער ג, עמ' 86).

59. "אשר יחשבו כי כל האוכל או השותה בשעת התקופה ינזק ויתנפח, דרש הדורש הוא. כי הנה חכמי המזלות שידעו דעת ברורה תקופת האמת לא אמרו שיזיק כל מאכל או משתה בשעת התקופה. ואין דרך בחכמת התולדת שתזיק התקופה כלל" (העיבור, סוד העיבור, דף ט עמ' א).

60. "העגול אין לו ראשית, רק כנגד המחל וכנגד הסמך הדבר אליו" (פירוש תהלים קלה ז).

ועוד נחשוב כי התקופה על האי הזה. והנה היתה תקופת ניסן בתחילת הלילה, והנה תקופת תמוז תהיה אחר שבע שעות ומחצה.[46] ואין הלילה באי הזה רק שבע שעות, והנה התקופה תהיה אחר זרוח השמש. וכל האומר כי התקופה על השעות המעוותות, שהם שתים עשרה ביום גם בלילה,[47] תקוה לכסיל ממנו.[48] כי איך יתכן להיות קשת מדתה בגלגל המישור מאה וחמש מעלות כקשת מדתה מאתים וחמשים וחמש מעלות.

על כן חושבים המחשבים, בעבור שיעלו בכל מקום ששה מזלות בכל יום,[49] כי המזל עולה בשתים שעות.[50] וזה כזב ותהו. כי לעולם לא יעלה מזל מן המזלות בכל הארץ בשתי שעות, אפילו במקום הקו השוה שהיום והלילה שוים לעולם,[51] ואף כי בכל מקום שיש לו מרחק רב מהקו. והנה מזל טלה באי הזה עולה בפחות חמישית משעה ישרה,[52] ומזל אריה עולה בשלש שעות פחות כמעט. ומכיר צורות הגלגל יראה זה בעינו. גם בלבנה בהיותה בראש החדש

בבל. רובי המפרשים פירשוהו (עד) [על?] י"ב שעות שהן בין מזרח ומערב בישוב, על כן 'לדידן' ו'לדידהו'. ואנו ידענו כי אין בין בבל וירושלים רק שעה וחלק שעה. אולי האומר 'מעתיקא' ו'מחדתא' יהיה כנגד קצה המזרח שהוא הראש עד סוף המערב. או כן על דעת היחיד. או על דרך שיתכן שתראה הלבנה אחר התקון כנגד גלגל המזלות" (העיבור, סוד העיבור, דף יא עמ' א-ב).

46. "אמר שמואל, אין תקופת ניסן נופלת אלא בארבעה רבעי היום, או בתחלת היום, או בתחלת הלילה, או בחצי היום, או בחצי הלילה. ואין תקופת תמוז נופלת אלא או באחת ומחצה או בשבע ומחצה, בין ביום ובין בלילה. ואין תקופת תשרי נופלת אלא או בשלש שעות או בתשע שעות, בין ביום ובין בלילה. ואין תקופת טבת נופלת אלא או בארבע ומחצה או בעשר ומחצה, בין ביום ובין בלילה. ואין בין תקופה לתקופה אלא תשעים ואחד יום ושבע שעות ומחצה. ואין תקופה מושכת מחברתה אלא חצי שעה" (עירובין נו א).

47. "ויקראו 'שעות מעוותות' מפני שכל יום נחלק לי"ב שעות, ומשתנה מספרם בכל יום" (כלי נחושת, שער ו, עמ' טז).

48. "לא יוכל טוען לומר כי שעותיו [של שמואל] הם שעות מעוותות, כפי כל לילה וכפי כל יום, כי בחלקים שווים חלק הכל בשוה" (העיבור, סוד העיבור, דף ח עמ' ב – דף ט עמ' א). ראה תוספות עירובין נו א, ד"ה "ואין בין תקופה".

49. כך כתב ראב"ח: "אנו מוצאים כל יושבי הארץ בכל מקום ובכל עת נגלה אליהם מן השמים ששה מזלות, שהם מחצית שלם מן הרקיע, ונסתר מהם המחצית השני והוא ששה מזלות. ומשם אנו דנין כי הארץ נתונה באמצע ממש. ורואים אנו מתוך זה כי גופה אינה נחשב למאומה לנגד גוף הרקיע העליון המכסה את הכל, ואליו אנו מקישים גוף הארץ בענין הזה. כי אלו היה גוף הארץ נחשב למאומה לנגד גוף הרקיע, היו כל שוכני הארץ לעולם רואים מן הרקיע פחות מחצים לעולם" (צורת הארץ, שער א, עמ' 21).

50. רצה לומר שתי שעות מעוותות (זמניות).

51. "גן עדן תחת קוה השוה, שלא יוסיף היום ולא יחסר כל ימות השנה. וריקי מוח תמהו איך יתכן זה? וראיות גמורות בלי ספק יש עליהם" (פירוש בראשית ב יא, עמ' כא-כב).

52. "טלה יעלה בכל מקום פחות ממעלותיו שבאו בחלקו שהם שלשים" (העיבור, שער ב, דף ד עמ' ב).

ועוד כי חָלַק הארבע התקופות בחלקים שוים,[40] וככה הם בגלגל השמש. ואיננו כן כנגד גלגל המזלות, בעבור שמהלך השמש משתנה כפי היותה קרובה או רחוקה ממקום הגבהות.[41] והנה הולכת מרגע השתוות היום עם הלילה, שהיא תחלת התקופה, עד היותה בסוף צפון, שהוא ראש המזל המתהפך,[42] ואז יהיה סוף התקופה והיום הארוך, יותר מארבעה ותשעים יום ושעות רבות. וקרוב מזה המספר התקופה השנית. והנה השתים הנשארות הם כמו מאה ושבעים ושבעה ימים. וזה אמת בראיות גמורות.[43]

והנה מה תועלת יש לסופרים תקופת שמואל? ואלו היתה מחלקתו נכונה, מה תועיל לאנשי זה האי לדעת שעת התקופה, כי היא על ירושלים? כי השמש זורחת עליהם לפני שתזרח על זה האי כארבע שעות ישרות.[44] וקדמונינו מודים בדבר זה, שאמרו "מחדתא" ו"מעתיקא", "לדידן" ו"לדידהו" (ראש השנה כ ב).[45]

והם ו' אלפים יום תתקל"ט, גם שתי שלישיות יום, גם תקצ"ה חלקים (6939 ימים, 16 שעות, 595 חלקים), ואלה הם י"ט שנות החמה בלי תוספת ומגרעת. ואל תחוש לשעה ותפ"ה לחשבון תקופת שמואל" (פירוש שמות יב ב, עמ' עג). וכן כתב בספר העיבור: "קבלה היתה ביד משפחת דוד איש האלהים שי"ט שנה משנות הלבנה, כל אחד כ"ט יום, י"ב שעות, תשצ"ג חלקים, כאשר העתיק רבן גמליאל, עם שבעה חדשים, הם י"ט שנה משנות החמה בלא תוספת ומגרעת. והנה המחזור הם רל"ה חדשים מחדשי הלבנה" (שער ב, דף ג עמ' א).

40. "אמר שמואל...ואין בין תקופה לתקופה אלא תשעים ואחד יום ושבע שעות ומחצה" (עירובין נו א).

41. "תקופתו [של רב אדא] כנגד גלגל השמש, על כן חלקם בשוה. ובעבור שידענו שמוצק גלגל השמש רחוק ממוצק הארץ, שהוא מוצק גלגל המזלות, וגובה מקום השמש קרוב הוא מרביעית הגלגל ממקום מחברת הגלגלים הגבוהים, הוא הנקרא 'קו הצדק'. והנה השמש תכנס בשני ימים שלמים וחלק משעה בטלה כנגד גלגל המזלות קודם שתכנס בטלה כנגד גלגלה" (העיבור, סוד העיבור, דף י עמ' א).

42. "המתהפכים הם טלה, סרטן, מאזנים, גדי, כי הם ארבע תקופות השנה ובהם מתהפך העת" (משפטי המזלות, עמ' קנג).

43. "העד החמישי [שתקופת שמואל אינה מדוייקת], שחלק התקופות בחלקים שוים. וזה כנגד גלגלה, רק כנגד גלגל המזלות לא יתכן. כי הנה יש בין תקופת ניסן לתקופת תמוז יותר מצ"ג יום, ותקופת תשרי לתקופת טבת פחות מפ"ט יום. והנה ידענו בבירור בראיות גמורות, אף על פי שהגיע השמש לרביעית גלגלה מראש מזל טלה כפי חלקיו, הימים יאריכו, (עם) [עד?] היות השמש כנגד רביעית גלגל המזלות" (העיבור, סוד העיבור, דף ח עמ' ב).

44. כך כתב ביסוד מורא, ספר הנכתב בעיר לונדון: "הנה בין ירושלם ובין זה מקום האי ארבע שעות ישרות, שהשמש זורחת עליהם בתחלה בראיות גמורות מחכמת המזלות" (שער א פיסקה ג, עמ' 71–72).

45. לשון התלמוד היא: "אמר רב נחמן כ"ד שעי מיכסי סיהרא, לדידן שית מעתיקא ותמני סרי מחדתא, לדידהו שית מחדתא ותמני סרי מעתיקא" (ראש השנה כ ב). ראב"ע כתב על המאמר ההוא: "מה שאמרו קדמונינו 'מחדתא' ו'מעתיקא', כנגד בני ירושלים ובני

חכמינו.[33] חלילה חלילה. רק עשינו החג במועדו. על כן תקופת רב אדא ישרה ממנה,[34] כי לא תעבור תקופת ניסן המספר הנזכר.[35]

ואין צורך היום לחשבון המועדים לדעת התקופה.[36]

ועוד כי חשבונו מכחיש העבור,[37] כי ישאר לפי חשבונו בכל מחזור שעה גם תפ"ה חלקים.[38] ואין ראוי שישאר חלק אחד, כי לא יהיה מחזור שלם. גם כל חכמי הנסיון מודים כי תשע עשרה שנות החמה הם במספר מאתים ושלושים וחמשה חדשי הלבנה, על כן השבעה עבורים.[39] והנה התחבר היום מן היתרון קרוב מחצי חדש. אולי יודיעונו אוהבי תקופת שמואל מה נעשה מהם.

---

33. ראב"ע הביא דוגמה זו בספר העיבור: "הנה אנחנו היום בשנת ה' למחזור המולדות (שנת ד' אלפים תתקי"ז). בשנת י"ו (שנת ד' אלפים תתקי"ח) יעבור חג המצות כולו ועוד לא באה תקופת שמואל, והנה עבר החג והשמש לא באה במזל טלה ולא השתוה היום והלילה. והנה לנו בשת עולם ונהיה בחשבונינו לעג וקלס לסביבותינו. כי הקל שבקלים יראה כי כבר השתוו היום והלילה בקרוב מי"א יום. חלילה חלילה. רק חשבונינו אמת, ואין לנו צורך לתקופת שמואל" (סוד העיבור, דף ח עמ' ב).

34. זו לשון ראב"ח: "הראוי לסמוך עליו מדבריהם הוא דעת אפרכש ובטלמיוס האומרים שנת החמה הוא שס"ה יום ושש שעות פחות שני חלקים מכ"ה בשעה, שהן חלק אחד מג' מאות ביום. והיה הדעת הזה ראוי לסמוך עליו מפני שהוא יוצא על דעת רבותינו זכרונם לברכה את סוד העבור, ואין הפרש בין דעת זה בימי השנה ובין דעת רב אדא בר אהבה דבר שיהיה חושש לו מפני מיעוטו" (צורת הארץ, שער ב, עמ' 76). כיוצא בזה כתב רמב"ם: "ונראין לי הדברים שעל חשבון תקופה זו [תקופת רב אדא] היו סומכין לענין עבור השנה בעת שבית דין הגדול מצוי, שהיו מעברין מפני הזמן או מפני הצורך. לפי שחשבון זה הוא האמת יותר מן הראשון [תקופת שמואל], והוא קרוב מן הדברים שנתבארו באיצטגנינות יותר מן החשבון הראשון שהיתה בו שנת החמה שס"ה יום ורביע יום" (משנה תורה, הלכות קידוש החודש, פרק י הלכה ו).

35. "תקופת רב אדא כפי דעת חכמי העבור הגדולים, כי לעולם תהיה התקופה טרם חג הפסח" (העיבור, שער ב, דף ו עמ' ב).

36. זו לשון ראב"ח: "אין אנו היום נצרכים לדקדק שעת התקופה, אחרי שנתקן מחזור העיבור על הדרך המחוכם אשר אנו חושבים אותו, ואין לנו צורך בתקופה כי אם לתקן יום השאלה, ואינו דבר מצוה גדולה שנחוש לה" (העיבור, מאמר ג שער ה, עמ' 94).

37. "העיבור" הוא הלוח שבידינו לקביעת השנה: "קביעות השנה גם החדש לבית דין היה. ועתה בגלות נסמוך על מעשה בית דין, והוא העבור" (פירוש הקצר לשמות יב ב). ולשון רמב"ם: "עקרי החשבון שמחשבין בזמן שאין שם בית דין שיקבעו בו על הראיה, והוא חשבון שאנו מחשבין היום, הוא הנקרא 'עבור'" (משנה תורה, הלכות קידוש החודש, פרק ו הלכה א).

38. "שנת שמואל היא שנת החמה, והוא אמר שהיא שס"ה יום ורביע יום (365 ימים, 6 שעות) בלא תוספת ומגרעת. והנה יש בין שנת הלבנה (354 ימים, 8 שעות, 876 חלקים) לשנת שמואל יכ"א ר"ד (10 ימים, 21 שעות, 204 חלקים). וכאשר תחבר מספר שנות המחזור, ותחסר מן המחובר מהלך שבעה חדשים, שכל אחד מהם כ"ט י"ב תשצ"ג (29 ימים, 12 שעות, 793 חלקים), אז ישארו שעה אחת ותפ"ה חלקים" (1 שעה, 485 חלקים) (העיבור, שער ב, דף ה עמ' א).

39. "היתה קבלה בידם שלעולם יקבע בית דין שבע שנים בכל י"ט שנה, שהם רל"ה חדשים,

בפרהסיא.[29] וטעם שהיתה בצניעות בעבור משפטי המזלות, אם ידעו חכמיהם תקופת האמת.[30]

והנה היום אין תקופת שמואל נכונה. והצל בכל יום בכל מקום לעד נאמן למשכיל.[31] ועוד כתוב "כי חזית דמשכא תקופת טבת עד שיתסר בניסן, עברה לההיא שנתא ולא תיחוש לה" (ראש השנה כא א).[32] והנה בשנה שעברה היתה תקופת ניסן בחשבון שמואל בחמשה ועשרים מניסן, והנה עברנו על דברי

29. "העד השני [שתקופת שמואל אינה מדוייקת], שאמרו תקופת שמואל בפרהסיא ותקופת רב אדא בצנעה. ולא יתכן שתהיינה שתי התקופות אמת, כי יש ביניהם קרוב מח' ימים. ורחוק הוא שתהיה התקופה שידעוה אפילו התינוקת שהיא בפרהסיא והיא הקלה היא האמת, ואשר הוא בצנעה ולא ידועה כי אם לחכמים מעט היא שקר" (העיבור, סוד העיבור, דף ח עמ' ב). וכן כתב ראב"ח בשם רבי יצחק בן ברוך הדריין: "אמרו שתי תקופות הן, תקופת רב אדא בר אהבה בצנעה ותקופת שמואל בפרהסיא. ואתה רואה מכאן כי תקופת רב אדא אשר היו מצניעים אותה ולא רצו לגלותה, היא היתה המדוייקת ועל סודה תקנו סוד העבור, וגלו את תקופת שמואל בפרהסיא מפני שרוב האומות חושבים את שנותיהם עליה" (העיבור, מאמר ג שער ה, עמ' 93–94).

30. "בעבור שאמרו קדמונינו זכרונם לברכה שתקופת רב אדא בצנעא, פירשו בו חכמי הדור כי תקופת רב אדא הוא האמת. ובעבור שיודע יודע תקופת רב אדא מתי תכנס השמש במזל טלה, יוכלו המכשפים לעשות מעשים גדולים בעולם. גם אלה לא דברו נכונה, כי תקופת רב אדא איננה כאשר חשבו, כי היא כנגד גלגל המזלות איננה, רק כנגד גלגל השמש שמוצקו רחוק ממוצק הארץ. והנה נמצא המוצק משתנה בכל זמן. ודבר זה הוא ברור אצל חכמי המזלות בראיות לא יוכל איש להכחישם. ולפי דעתי שהיתה בצנעא בעבור שיוכל לדעת איש כל אשר יהיה בארץ בדרך חכמי משפטי המזלות" (העיבור, שער ב, דף ו עמ' ב). ראב"ח כתב בשם רבי יצחק בן ברוך הדריין: "ראיתי בספר אחד מספרי הקדמונים שאומר: שאלתי רבותי מפני מה אמרו תקופת רב אדא בצנעה? ואמרו לי מפני שכל מה שיהיה בעולם מרעב ושובע ומות וחיים תלוי במולד ובתקופה. וחששו חכמים שמא יעמוד אדם שאינו הגון ויחריב את העולם. ואני נוטה בכל לבי אל הדבר הזה ויודע שהוא דבר ברור" (העיבור, מאמר ג שער ה, עמ' 94).

31. "העד הרביעי שהיא [תקופת שמואל] נשחתת לעיני השמש הזאת, כי כל משכיל יוכל לראות זה בכלי הנחשת, גם בצל, אחר שידע כמה רחב ארצו. ובנטות השמש לסוף דרום או צפון יוכל לדעתו בצל. והנה יוכל לדעת היום שישתוה היום עם הלילה. והנה השמש נוטה מסוף צפון ועוד לא באה תקופת תמוז לשמואל קרוב מתשעה יום. והפך הדבר בתקופת טבת. והנה הצל לעד נאמן" (העיבור, סוד העיבור, דף ח עמ' ב). ובפירושו לתורה כתב: "היום יש בין תקופת האמת ותקופתו קרוב מט' ימים" (פירוש שמות יב ב, עמ' עג).

32. טעם הדבר: "זה אמת בעבור תנופת העומר, כי העומר הוא האביב, והאביב תלוי בשמש" (העיבור, סוד העיבור, דף ח עמ' ב).

שלא חשב שבעים ושלושה חלקים[26] שהם נוספים על שתי שלשיות שעה בחדש הלבנה.[27] גם כתוב שתי תקופות הן, תקופת רב אדא[28] בצנעא ותקופת שמואל

ז׳ ימים קודם אלו, והשעה ותפ״ה היו נבלעים באותם ז׳ ימים. אחר כן הוסיפה תקופת שמואל בכל מחזור על תקופת רב אדא שעה ותפ״ה מכל אותן מחזורים שהיו מאותו זמן שתיקן שמואל תקופתו עד הזמן הזה, ונתקבצו השעות וחלקיהן עד שנמצא שיש בין תקופה לתקופה קרוב לי״א יום״ (ספר תשב״ץ, חלק א, סימן קח, עמ׳ רמה-רמו, וראה הערות המהדיר שם). עוד יש לומר שלדעת ראב״ע, משך השנה הולך ומתמעט מיעוט קטן. ראה דברי אריה ליב ליפקין בסוף ספר ברייתא דשמואל הקטן (מהדורתו), עמ׳ 44: ״כתבו האחרונים, וכן הרגישו בזה התוכנים האחרונים, כי משך השנה הולך ומתמעט מיעוט קטן מאוד, רק במשך הזמן מתקבץ המיעוט לאיזה חשבון״.

26. ״השעה היא אלף ושמונים (1080) חלקים״ (העיבור, ראשית שער א).

27. ״החדש כ״ט יום וי״ב שעות ושתי ידות שעה גם שתי שלישיות עשירית שעה וחצי תשיעית ששית עשירית השעה, והם תשצ״ג חלקים״ (העיבור, ראשית שער א). בברייתא דשמואל שבידינו שונים: ״הרוצה לידע מולד לבנה יחשוב משׁשבו חמה ולבנה כמה שנים, ויתן ד׳ ימים וארבע שעות גדולות לכל שנה ושנה, ומוציא את השעות בימים, י״ב שעות לכל יום, ויכלול השעות עם הימים. ואף שנים עיבורים יחשב כמה עיבורים באותן השנים, ויתן לכל חדש וחדש יום ומחצה ושליש שעה גדולה. ויוציא את מנין הימים והשעות מנין מצטרף ויכללם עם מנין של ד׳ ימים וד׳ שעות, ויוציאם ז׳ ז׳, והמותר יחשוב מתחלתו ליל ד׳, והיכן שכלה שם הלבנה מתחדשת״ (פרק ה, עמ׳ 29). ראב״ע העיר על ברייתא זו: ״אמרה הברייתא, הרוצה לידע מקום (מולד?) הלבנה יחשוב שנת העולם ויעשה מהם חדשים, ויתן לכל חדש כ״ט יום וחצי ושתי ידות שעה, שהם תש״כ חלקים. והנה חסר ע״ג חלקים, והנה התחברו מהם בכל מחזור יותר משתי שלישיות יום. והנה יהיה המרחק בין חשבון מולדות מימי בראשית ובין חשבון מולדנו היום קרוב מחצי שנה״ (פירוש שמות יב ב, עמ׳ עג).

28. ״תקופת רב אדא כפי דעת חכמי העבור הגדולים, כי לעולם תהיה התקופה טרם חג הפסח. ועקרם כי מחזור המזלות שהיא י״ט שנים משנות החמה הן י״ט שנים משנות הלבנה עם שבעה חדשים, בלא תוספת ומגרעת. ואחר שידענו על דעת רבן גמליאל כמה ימי החדש ושעותיו וחלקיו, הנה נוכל לידע כמה ימי שנת החמה. והנה היא שס״ה יום וה׳ שעות תתקצ״ז חלקים י״ב שניים והשני קרוב לד׳ רגעים להיות החלק נחלק על י״ט (365 ימים, 5 שעות, 997 חלקים, 12/19 מחלק). והנה יש בין שנת שמואל ושנת רב אדא פ״ב חלקים וז׳ שניים מחשבון י״ט (82 חלקים, 7/19 מחלק)״ (העיבור, שער ב, דף ו עמ׳ ב). עוד כתב שם: ״אחר שידענו שהחדש הוא כאשר הזכרתי כ״ט י״ב תשצ״ג (29 ימים, 12 שעות, 793 חלקים), ערכנו המספר על רל״ה על חדש הלבנה, והנה עלו ששת אלפים ותשע מאות ותשעה ושלשים יום ושש עשרה שעות וחמש מאות וחמשה ותשעים חלקים (6939 ימים, 16 שעות, 595 חלקים). והנה טעם המחזור, כי בהשלמת המחזור שבו המאורות לחלק אחד, כל אחד בגלגלו כאשר היה בתחלה. והנה מזה החשבון נוכל לדעת כמה ימי שנת החמה ושעותיו וחלקי השעות. כי נחלק מספר ימי המחזור והשעות והחלקים על י״ט, והנה עלו שס״ה יום [ה׳ שעות] ותתקצ״ז חלקים וי״ב חלקים מי״ט בחלק אחד״ (שער ב, דף ג עמ׳ ב).

ולא ירע.[22] על כן נחפש שנת התורה ממשה או מפי הקדושים המעתיקים. והנה נחל מהם.

והנה מצאנו תקופת[23] שמואל בלי תוספת או חסרון רביעית יום.[24] והיתה בימיו קרובה אל האמת, ועשה חשבון עולה לתלמידים.[25] כאשר עשה בברייתא,

---

קפב) כתב: "הנכון בעיני כי המספר כדרך שנת פרס או שנת מצרים שיעברו חדש אחד בתוספת חמשה ימים". לפי דבריו, נכון החשבון שחמשה חדשים של שלושים יום לכל חודש עולה חמשים ומאת יום.

22. "אפילו היה כתוב כי נח היה חשבונו על החמה, או תחלת השנה מתשרי, לא נתנו המועדים על ידי נח" (פירוש הרגיל לבראשית ח ג). וכן כתב בשיטה אחרת לבראשית ז יא (עמ' קפב): "זה לא יזיק אם חשב נח חשבונו באיזה חשבון שהיה, וחשבוננו על יד משה ומפיו שמעוהו האבות והעתיקוהו, וחדשיו ללבנה".

23. "תקופה" במשמעות: "תשובת החמה אל עצם מקומה מאופן המזלות בתחלת המולד או המאורע" (ראב"ח, חשבון מהלכות הכוכבים, שער יט, עמ' קו).

24. "שנת שמואל היא שנת החמה, והוא אמר שהיא שס"ה יום ורביע יום בלא תוספת ומגרעת" (העיבור, שער ב, דף ה עמ' א). דברי שמואל נמצאים בתלמוד בבלי: "אמר שמואל...ואין בין תקופה לתקופה אלא תשעים ואחד יום ושבע שעות ומחצה" (עירובין נו א). בכיפול ארבעה עולה שנה שלימה שס"ה ימים ושש שעות. וגם נמצאת ברייתא המיוחסת לשמואל, ושם שונים: "חמה מהלך את המזל לשלשים יום וה' שעות גדולות (שעה גדולה מכילה שתי שעות רגילות מכ"ד) ורביע. נמצא גומר לי"ב מזלות בשס"ה ימים ורביע יום, שהן הי"ב חדשי השנה" (פרק ה, עמ' 32).

25. "אל תחוש לשעה ותפ"ה לחשבון תקופת שמואל, וידענו כי לא נעלם ממנו זה, רק תפש דרך קרובה בזמנו לאנשי דורו" (פירוש שמות יב ב, עמ' עג). כמו כן כתב בספר העיבור: "יתכן ששמואל ידע זה, ותקן זה בדרך קרוב לאנשי דורו, כי אין יכולת בידי אדם להבין חלקים ראשונים, ואף כי שניים" (שער ב, דף ח עמ' א-ב). ראב"ח כתב קצת שונה, ואולי זוהי כוונת ראב"ע אצלנו: "החלק השלישי הם הנקראים מלמדי חכמת החזיון אומרים מדת שנת החמה היא רביע יום שלם על שס"ה, ואמר עליהם בטלמיוס...לא הטריחו עצמם לחקור עליו...כי לא היה רצונם להעמיד הדבר על בוריו אלא ללמד את העם ענין החקירה וצורת המהלך, ופעם אחת לתלמיד מספיק לו בבדיקה לדעת הענין וללכת אל הדרך, ומפני זה אתה מוצא בחשבונם קירוב וטעות" (העיבור, מאמר ג שער א, עמ' 78).

מה שכתב ראב"ע שבזמן שמואל תקופתו הייתה "קרובה אל האמת", מוסבר מדברי רבי שמעון בן צמח דוראן (רשב"ץ): "לפי שבתקופת שמואל יש יתרון שעה ותפ"ה חלקים, אם כן תתרחק תקופת שמואל ותתאחר מתקופת רב אדא במחזור אחד שעה ותפ"ה. בשני מחזורים שתי שעות תתק"ע...וברע"ב מחזורים שיש מבריאת עולם קרוב לי"ז ימים. וזהו סיבת המרחק הגדול אשר בין שתי התקופות בזמנים אלו. ואף על פי שלא נמצא כל כך, כי לפי זה היה המרחק י"ז ימים, ואנו לא נמצא כי אם עשרה ימים או קרוב, הסיבה בזה כי שמואל הקדים תקופתו לתקופת רב אדא ז' ימים. כי רב אדא עושה אותה ט' שעות תרמ"ב חלקים לפני מולד ניסן, ושמואל עושה אותה ז', ט', תרמ"ב לפני מולד ניסן. ומפני שקדמה תקופתו לפני תקופת רב אדא ז' ימים, על כן אין המרחק ביניהם כי אם עשרה ימים. ואילו התחילו בשוה ליל ד' ט' תרמ"ב קודם תקופת (מולד?) ניסן, היה המרחק ביניהם י"ז ימים בקירוב, מפני שעה ותפ"ה היתרים. ובימי שמואל שתיקן זה היו שתי התקופות בשוה בזמן אחד בקירוב, מפני הקדימה הזאת שהקדים ז' ימים לתקופת רב אדא. והמחשבים השתי התקופות לא היה הבדל ביניהם, כי אלו מתחילים

חדשי הלבנה, חלקו ימות השנה על שנים עשר להיות זה המספר קרוב מחדשי הלבנה, ועלה חדש אחד שלשים וחדש אחד שלשים ואחד.[17]

גם אמר יהודה הפרסי כי שנות נח היו שנות החמה, בעבור שמצא "בשנת שש מאות שנה לחיי נח" (בראשית ז יא) בא המבול, ואחר כך אומר "באחת ושש מאות שנה" (שם ח יג).[18] על כן במספר החדש תוספת עשרה ימים, כי זה המספר קרוב לתוספת שנת החמה על שנת הלבנה.[19] וזה המספר סותר דבריו, כי הנה הוא מודה כי החדש הוא ללבנה. ועוד אמר כי מצאה מנוח התבה אחר חמשה חדשים (שם ח ד), וכתוב שהיו "חמשים ומאת יום" (שם ח ג). והוצרך הגאון לשום תחלת שני נח מתשרי.[20] ואין צורך, כי גם בחדשי שנת החמה יהיה המספר רב מהכתוב בשני ימים.[21] ואלו היה נח מחשב שנות החמה, לא ייטיב

---

17. "דע, כי אין לשמש חדש ולא אל הלבנה שנה, רק השנה תלויה בשמש לבדה. וכשבקשו המחשבים חדשים בחשבון הלבנה לא מצאו קרוב אל שנת החמה כי אם י"ב חדשים. וכן עשו הגוים בעבור כי שנתם הוא שנת החמה. ומצאו בשנת החמה י"ב לבנות, חלקו ימי השנה על י"ב, להיות חדשיהם קרוב מחדש הלבנה. על כן ל' יום חדש אחד, ויש מהם ל"א. ואף על פי שקבעו חדש אחד קטן בעבור מהלך השמש שהוא הרבה, רק עשו יותר ממה שהיה ראוי" (העיבור, שער ב, דף ז עמ' א).

18. ראיתו היא כפי מה שכתב ראב"ע להלן (שער א): "ראשית שנת כל אדם מרגע הולדו, ובשוב השמש אל הנקודה הראשונה שהיתה שם בתחלה תעלה לו שנה תמימה", כלומר, שמחשבים שנות חיי האדם לפי שנות החמה. וכן כתב רבינו סעדיה גאון (רס"ג): "הרי מנין הכתוב כאן הוא לימי נח, וידוע שחיי בני אדם נמנים לפי שנות השמש, כימיהם של כל הדברים הגדלים כגון העצים וזולתם" (פירוש בראשית, פרשת נח, עמ' 342).

19. "יש בין שנת הלבנה לשנת שמואל י' כ"א ר"ד (10 ימים, 21 שעות, 204 חלקים)" (העיבור, שער ב, דף ה עמ' א).

20. "הגאון" סתם בלשון ראב"ע הוא לפי הרוב רבינו סעדיה גאון. ואלו דבריו: "היתה השנה ההיא מעוברת ומרחשון וכסלו שניהם מלאים. וכשאנו מתחילים למנות מי"ז במרחשון יהיה בסך הכל י"ד ממרחשון, כסלו ל', טבת כ"ט, שבט ל', אדר ראשון ל', ומאדר שני י"ז, שהם ק"נ יום בדיוק" (פירוש בראשית לרס"ג, פרשת נח, עמ' 341–342). אבל ראב"ע השיג עליו: "האומר כי בחשבון העבור היה עושה, וישים 'בחדש השני' (בראשית ז יא) מרחשון, ותהיה השנה שלמה [לא דבר נכונה]. ולמה כל זה" (פירוש הרגיל לבראשית ח ג). בשיטה אחרת לבראשית ז יא (עמ' קפא) הסביר: "בחדש השני – הפשט שהוא אייר. ואם אמרנו שהוא מרחשון, לא יועילנו. כי לא יתכן להיות חדשי הלבנה כלם שלמים". משמע שלדעתו, בשנה מעוברת אין לעשות את החדשים מרחשון, כסלו, ואדר א' כולם מלאים. וכן מצינו דעת חז"ל במסכת שבת פז ב. אולם, בספר העיבור (דף ב עמ' א) כתב ראב"ע שאפשר להיות שלשתם מלאים. וכן מצינו ברמב"ם, משנה תורה, הלכות קידוש החודש, פרק ח הלכה ח. ואולי היינו רק על פי סוד העיבור, ואינו כן לפי סיבוב הלבנה.

21. "האומרים כי הנה מצאנו מאה וחמשים יום חמשה חדשים, וזה לנו לאות שהם חדשי חמה, והנה לא דברו נכונה על דבריהם, כי שנים ימים יחסרו" (פירוש בראשית ח ג). ראב"ע, בפירושו הרגיל לבראשית (ח ג), לא הכריע בעניין המבול אם התורה מנתה את השנה כפי שנות החמה או כפי שנות הלבנה. אולם בשיטה אחרת לבראשית ז יא (עמ'

כי התנועה מעלה אחת במאה שנה.[10] והאחרונים אמרו בששים ושש שנים.[11] ויש אומרים בשבעים שנה.[12] וכלי הנסיון עשוים בדרך קרובה, כי לא יוכלו לחלק המעלות על שניים במעשה ידי אדם.[13] ויש אומרים כי בשתי נקודות המחברת שתי עגולות קטנות, על כן התנועה פעם עולה פעם יורדת.[14] והנה אין יודע באמת שנת החמה. ועתה אשוב לחפש על שנת התורה.

אמר יהודה הפרסי כי שנות ישראל היו שנות החמה, בעבור שמצא המועדים בימים ידועים. כי הפסח באביב השעורים (שמות לד יח), ושבועות בקציר (שם לד כב), וסכות באסיף (דברים טז יג).[15] והנה מה יעשה, כי משה לא פירש כמה היא השנה?[16] ומה יעשה במלת "חדש", כי מה יתחדש בשמש? והערלים, בעבור היות שנותם שנות השמש, ומצאו בשנה תמימה שנים עשר

---

10. "הקדמונים אמרו, ובטלמיוס עמהם, כי יתנועעו [כוכבי גלגל המזלות] למאה שנה מעלה אחת" (הטעמים, נוסח א, שער ב, עמ' 44).
11. "המדקדקים אחריהם מצאו כי תנועת מעלה אחת לששים ושש שנים" (הטעמים, נוסח א, שער ב, עמ' 44–45).
12. "הנכון שהתנועה [מעלה אחת] לשבעים שנה" (הטעמים, נוסח א, שער ב, עמ' 45). וכן כתב בטעמים, נוסח ב: "מצאנו שהוא [גלגל המזלות] מתנועע ממערב אל מזרח מעלה אחת בשבעים שנה" (עמ' 2).
13. "אין יכולת בידי האדם להבין חלקים ראשונים ואף כי שניים" (העיבור, סוד העיבור, דף ח עמ' ב). ובספר העולם כתב: "הכלים העשוים לדעת בהן גבהות השמש בחצי היום, אם היו מדוקדקים היטב, יוכלו להוציא בהם הראשונים ולא השניים" (עמ' 9).
14. "דע, כי מחלוקת גדולה בין חכמי המזלות בעלי הראיות ובין חכמי המזלות בעלי המשפטים והצורות. כי אנשי הצורות אומרים כי סדני הגלגל יעלו וירדו. ואחרים אמרו שיש גלגל קטן במקום מזל טלה ומאזנים שיתגלגל לצפון ולדרום" (העיבור, סוד העיבור, דף י עמ' א). אלו דברי ראב"ח: "חכמי הודו וכל יושבי פאת דרום והקדמונים מחכמי כשדים וכלדיים היה להם בככבים דעת אחד, והם סוברים שככבי שבת אינם מקיפים את כל הרקיע, אבל הם מתקדמים ומתאחרים שמנה מעלות מאופן המזלות למזרח ולמערב. והגורם למהלך הזה היה קוטב אופן המזלות, שהוא סובב על עגלה קטנה שמונה מעלות מאופן המזלות למזרח ולמערב. והקוטב מקיף את העגלה באלף ושש מאות" (צורת הארץ, שער י', עמ' 196–197).
15. "אמר רבי יהודה הפרסי כי ישראל היו מונים כפי שנות החמה כמשפט הערלים. וראיתו 'ושמרת את החקה הזאת למועדה' (שמות יג י), כי שנת לבנה איננה שוה. כי ימי החריש והקציר תלוים בהליכת השמש לבדו כפי נטותה לצפון או לדרום" (פירוש שמות יב ב, עמ' ע). בספר העיבור כתב: "יהודה הפרסי חבר ספר, ואמר כי שנות ישראל היו מחשבין לחמה, בראותו כי לא מצא ראיה על שנת הלבנה כמה חדשים היא, ואם לא שחשבון הלבנה הוא הנקבע, ומי אמר לנו שנספור ל' יום, ואם נקבל עדות החדש מפי גרים ונשים ואב ובן, ואצל מי יעידו העדים והנה ישראל בכל עיר ועיר, וראית הלבנה תשתנה בכל מדינה ומדינה" (סוד העיבור, דף ח עמ' א).
16. "יהודה הפרסי אמר כי ישראל היו מונים בחשבון השמש. ואילו היה זה נכון, הנה לא פירש משה מהלך שנה תמימה, כי חכמי המזלות לא יכלו עד הנה להוציאה לאור" (פירוש ויקרא כה ט).

ואלה המוסיפים גם הגורעים קרובים אל האמת. כי שנת המוסיפים היא מנקודת הגלגל שמוצקו רחוק ממוצק הארץ.[6] וזאת השנה קרובה ממחברת כוכב עליון אל מחברתו פעם שנית.[7] והנכון להיות התוספת חלק ממאה וחמישים. וזאת היא שנת חכמי משפטי המזלות. ושנת הגורעים מנקודת מחברת העגולות הגדולות,[8] או כפי מרחק השמש, וזאת היא שיצטרכו אליה כל האדם. והחסרון קרוב מחלק ממאה ושלשים ביום.[9]

ובאה המחלוקת בעבור תנועת כוכבי גלגל המזלות. כי הקדמונים אמרו

החמה] לאור. כי חכמי הודו מוסיפים על רביע היום חומש שעה. ותלמי וחביריו אומרים כי יחסר חלק משלש מאות ביום. והוא קרוב ממהלך העבור. והבאים אחריו אמרו חלק ממאה ושש, ואחרים מאה ועשר, ואחרים מאה ושלשים, גם מאה ושמונים. כי יש מי שהוא שנתו להשלמת המזלות מנקודה נראית. ויש מנקודת הגלגל הנטוי לימין ולשמאל. ואנחנו צריכים לקבלה".

6. "מוצק גלגל השמש רחוק ממוצק הארץ, שהוא מוצק גלגל המזלות" (העיבור, סוד העיבור, דף י עמ' א).

7. "חכמי הודו אינם חוששים למחברת שני הגלגלים, רק שנתם הוא מהתחבר השמש עם כוכב עליון עד שובה פעם אחת [אחרת?] אל מחברתו" (הטעמים, נוסח א, שער ב, עמ' 44).

8. "טעם השנה, שוב השמש אל נקדת מחברת שני הגלגלים הגדולים ששם תחלת הצפון" (העולם, עמ' 9). ובספר הטעמים, נוסח א, שער ב (עמ' 44) כתב: "יש מי שישים תחלת שנתו מרגע הכנס השמש בתחלת מזל טלה שהוא במחשבת הלב, והטעם בהכנסה אל מחברת שני הגלגלים הגדולים, אז ישתוה היום והלילה."

9. "שנת החמה באמת שיגרע יום בק"ל שנים" (העיבור, סוד העיבור, דף ט עמ' ב). בספר המולדות ראב"ע סיים שהחסרון חלק מתשעים וששה ביום: "האמת שהוא בדוק ומנוסה מהיום יותר ממאתים שנה, ולא נשתבש בו אפילו חלק אחד, שתהיה בין תקופה לתקופה פ"ו מעלות גם ט"ו חלקים ((51°68') ÷ 063 = 69/32 = 4/1 − 69/1)" (עמ' רמ). עוד כתב בספר העיבור: "הנה תמה גדול, כי הנה זה יוסף על רביעית היום וזה יחסר. והנה יבוא בס' שנים קרוב מיום לפי שקול הדעת. והלא יכול לבדוק בזה הקל שבקלים, ואף כי אלו החכמים שהיו חכמי המדות ודקדקו כהוגן. והנה אגלה לך הסוד הזה, ושים לבך לדעתו. דע, כי שנת השמש תתחלק לשלשה חלקים. החלק האחד, מעת היות השמש החלק ראשון ממקום מחברת השנים גלגלים הגבוהים, ואז ישתוה היום עם הלילה. וזאת היא שנת תלמי וחכמי ישמעאל. והחלק השני, כנגד נקודה בגלגל השמש, שמוצקו רחוק ממוצק הארץ, וזאת היא שנת פרס. גם יש בחכמי ישמעאל מונים כן. והחלק השלישי, הוא מעת התחברות השמש עם כוכב אחד ממחנה המזלות, וזאת היא קרובה לחכמי הודו. והאמת שהוא חלק בק"נ" (סוד העיבור, דף ח עמ' א). רבי יוסף טוב עלם בספרו צפנת פענח (חלק ב, עמ' 36) גרס כאן: "חלק ממאה ושלשים ואחד ביום". וכן מצינו חשבון זה בספר העולם לראב"ע (עמ' 10): "הנכון כפי אמנתי שהוא [הגרעון] חלק מקל"א". וכן בספר הטעמים, נוסח א, שער ב (עמ' 44): "האמת כי החסרון הוא חלק ממאה ושלושים ואחד".

השער הראשון

בראשית השנה

אמרו חכמי קדם כי שנת החמה בתוספת חלק ממאה ועשרים על רביעית היום הנוספת על הימים השלמים.[1] וחכמי פרס אמרו כי התוספת חלק ממאה וחמשה עשר ביום.[2] וחכמי כשדים אמרו כי התוספת חלק ממאה ושבעים ביום. וחכמי יון אמרו כי החסרון מרביעית היום חלק משלש מאות ביום.[3] והאחרונים אמרו, והם רבים, כי החסרון חלק ממאה וששה ביום.[4] ויש אומרים חלק ממאה ועשר ביום.[5]

---

1. חלק מק"כ ביום הוא חומש שעה שהוא רט"ז חלקים: "חכמי הודו מוסיפים על רביע היום חומש שעה" (פירוש ויקרא כה ט). וכן כתב בשלוש שאלות: "אם תהיה שנתם [של הערלים] כשנת חכמי הודו, מהתחברות השמש עם כוכבי המזלות עד שובה אל המחברת, הנה יוסיף על רביעית היום חומש שעה" (עמ' א–ב).
2. "חכמי פרס אומרים כי התוספת חלק ממאה וחמשה עשר ביום" (המולדות, תקופת השנים, עמ' רמ). חלק מקט"ו ביום קרוב לרביעית שעה: "אם שנתם [של הערלים] כשנת נבוני פרס, שתחלתה מנקודה בגלגל שמוצקו יוצא ממוצק הארץ, עד שובה אל הנקודה, הנה יוסיף על רביעית היום קרוב מרביעית שעה, כי תהלוכות מקום גובה השמש יתר מתהלוכות כוכבי המזלות" (שלוש שאלות, עמ' ב).
3. "תלמי וחביריו אומרים כי יחסר חלק משלש מאות ביום" (פירוש ויקרא כה ט).
4. "חכמים גדולים מישמעאל אמרו אחריו, כמו יחיי בן אבו מנצור וכמו אל מרדזי וכמו אבן אל מקפע ואל כתאני וג'האלה, הסכימה דעתם כי החסרון חלק ממאה וששה ביום" (ספר המולדות, תקופת השנים, עמ' רמ).
5. "חכמי ישמעאל דקדקו ומצאו שיחסר חלק ממאה ועשר ביום" (הטעמים, נוסח א, שער ב, עמ' 44). ובפירושו לויקרא כה ט כתב: "חכמי המזלות לא יכלו עד הנה להוציאה [שנת

כי מעשה השמש כמעשה כל,[18] בעבור היותה הבריאה הגדולה.[19] גם בעבור היותה קרובה אל הארץ.[20] גם היא מושלת ביום.[21]

ובעבור היות השנה בנויה מחדשים, והחדש תלוי בלבנה שהוא המאור הקטן, על כן חלקתי זאת האגרת לשלשה שערים: הראשון בראשית שנת התורה, השני בראשית חדש התורה, השלישי בראשית יום התורה.

18. "השמש לבדו יוליד הזמן, כי היום תלוי בשמש מעת זרחו עד בואו, והלילה הוא מעת בוא השמש עד זרחו, ייראו הכוכבים או הלבנה או לא ייראו. וכן זרע וקציר וקור וחום וקיץ וחורף על פי נטות השמש לפאת צפון או דרום. אף על פי שיש לירח בנהרות ובצמחים הלחים ובמוח מעשים נראים, וכימה לקשר וכסיל לפתח, אין מעשה כולם כנגד מעשיו, כי אם חלק מחלקים רבים" (פירוש קהלת א ג). וכן כתב בספר המאורות: "הנה מעשה השמש כמעשה כל, כי הוא המוליד קיץ וחורף וקור וחום ויום ולילה. ובהיותה בבית גבהותה שהוא מזל טלה, והטעם במזל שתחל בו להיותה קרובה מהיישוב, אז יציצו כל העצים וישמחו כל החיים ויתרפאו כל החולים. ובהיותה בתחלת דרום, שהוא מזל מאזנים, יבלו העלים וידאגו כל החיים וירבו כל תחלואים. ועוד דבר מנוסה וידוע כי רובי החולים יקל חליים מחצי הלילה עד חצי היום, בעבור השמש בחצי הגלגל העולה. והפך זה בהיותה ביורד" (עמ' 42–43). בפירושו לתהלים יט ה כתב: "טעם להזכיר השמש כי הוא גדול מכל גוף, והתנועות העליונות כולם קשורות בו, והוא מוליד הזמן השוה והשונה, והיום והלילה, והמתכות והצמחים וכל החיים תלויים בשמש".

19. "חכמי המדות מודים כי השמש היא הבריאה הגדולה" (שיטה אחרת לבראשית א טז, עמ' קסב). ובפירושו לקהלת א ה כתב: "בארו אנשי המדות והחשבון שכל הנבראים הנראים על עשרה חלקים, והשמש גדול מכולם ואין אחד כמוהו".

20. "יש מחלוקת גדולה בין החכמים אם נוגה וכוכב־חמה למעלה מהשמש או למטה ממנה. והיה זה הספק בעבור שלא יוכל אדם לראותם בהיותם נחברים עם השמש. ועוד, בעבור היות גלגל המוצק שווה לכל אחד מהם. ולפי דעתי שדברי כולם אמת, כי פעם הם למטה ופעם הם למעלה. וזה צריך פירוש ארוך" (הטעמים, נוסח ב, עמ' 9). ובספר המאורות כתב: "כח שני המאורות גדול מכח הכוכבים בעבור היות השמש קרובה אל הארץ, כי הוא בגלגל השני על דרך האמת, והיא גדולה מאוד" (עמ' 42).

21. בשיטה אחרת לבראשית א טו (עמ' קסב) כתב: "טעם 'לממשלת היום' כי התבואה והדשאים תלוים בשמש, וככה הבדיל והנחושת, גם החיים גם הנולדים. ובלילה הלבנה מושלת. ואלה הדברים ידועים לחכמי הנסיון".

ויחלו שיתקצרו הימים ויאריכו הלילות. וימי זאת התקופה קרים ויבשים.[13] ובעבור היות תקופות הקיץ והחרף יבשות, אמר הכתוב "בקיץ ובחרף יהיה" (זכריה יד ח).[14] כי באלה הזמנים יחסרו הנהרות, חוץ מיאור מצרים, כי הוא יוצא ממעינות הרי הלבנה בפאת דרום.[15]

והנה תקופות השנה תלויות בשמש.[16] גם ככה תקופות היום.[17] והנה האמת כי אין כח במשרתים לשנות מעשיה, כי אם להוסיף או לגרוע בחום או בקור.

13. "קור – רביעית השנה, ותחלתה בהיות השמש במזל גדי, כי מאז יחלו הימים להאריך. וחם – בזמן עלות השמש בפאת צפון. וחרף – הרביעית הנשארה, והחל מעלות השמש לדרום, בעבור כי לדרום בני הגלגל הגדול. והוא סוד" (שיטה אחרת לבראשית ח כב, עמ' קפג).
14. לשון הכתוב "והיה ביום ההוא יצאו מים חיים מירושלם, חצים אל הים הקדמוני וחצים אל הים האחרון, בקיץ ובחרף יהיה". רבי דוד קמחי (רד"ק) פירש על אתר: "כתב החכם רבי אברהם אבן עזרא זכרונו לברכה כי זכר 'קיץ וחורף' לפי שהם תקופות יבשות, כי ימי הקיץ הם חמים ויבשים, וימי החורף קרים, ובאלה הימים יחסרו הנהרות".
15. "אמר אחד מגדולי דורו 'פישון' הוא יאור מצרים. ולא זה הדרך. כי הנה גיחון גם פרת וחדקל הם נודעים, ושלשתם באים ממזרח למערב. ולא כן יאור מצרים, כי הוא יוצא ממעין שהוא בהר הנקרא 'הר הלבנה'. והוא לפאת נגב מהקו השוה, שהוא תחלת הישוב לפאת צפון. על כן יגברו מימי יאור מצרים בתמוז, ולא כן השלשה הנהרים הנזכרים. והנה מקום זה הנהר לא ידענוהו" (שיטה אחרת לבראשית ב יא, עמ' קסז). ובפירושו הרגיל לבראשית ב יא כתב: "יאור מצרים יוצא מהר הלבנה, רחוק מקו השוה בצד נגב. והראיה, גדולה בקיץ".
16. רבי משה בן מימון (רמב"ם) סימן את ראש כל אחת מארבע תקופות השנה לפי המזל שהשמש תכנס בו: "תקופת ניסן היא השעה והחלק שתכנס בו השמש בראש מזל טלה. ותקופת תמוז היות השמש בראש מזל סרטן. ותקופת תשרי היות השמש בראש מזל מאזנים. ותקופת טבת היות השמש בראש מזל גדי" (משנה תורה, הלכות קידוש החודש. פרק ט הלכה ג).
17. ראה להלן ראש שער ג.

והנה התנועה האחת, שהיא כוללת כל תנועות הגלגלים, היא המזרחית.[7] שהשנים עשר מזלות[8] עולים בעשרים וארבע שעות, וקרוב מזה המספר יעלו גם שבעת המשרתים.[9] והתנועה השנית היא המערבית.[10] גם היא כוללת כל תנועות הגלגלים, כי סדני גלגלי המשרתים נמשלים אל סדני גלגל המזלות. והשמש לבדה שומרת קו המזלות, לא תטה ימין ושמאל.[11] והיא תקיף כל המזלות בשלוש מאות ושישים וחמשה ימים וחמש שעות וחלקי שעה, והיא שנת החמה. והיא השנה באמת, כי הימים ישובו פעם שנית כאשר היו בשנה הראשונה. על כן נקראת "שנה".

ובעבור נטות השמש לצפון ולדרום, התחלקה השנה לארבע תקופות, שהן "קור וחום וקיץ וחרף" (בראשית ח כב). כי ימי הזרע הם חצי השנה, בהיות השמש במזלות הדרומיים, וימי הקציר בהיותה בצפוניים.[12] והחל מימי הקור. ותחלת זאת התקופה בהיות השמש בסוף נטותה לדרום, אז יחלו הימים להאריך ויחלו הלילות להתקצר, ואלה ימי התקופה קרים ולחים. ובהיות השמש בנקודת המחברת אז ישתוה היום והלילה בכל הארץ. וימי זאת התקופה חמים ולחים. ומתחלתה יחלו הימים להאריך, כי השמש נוטה לפאת צפון, וסוף התקופה בסוף נטותה לצפון. ומשם תחל התקופה האחרת. והשמש יורדת מפאת צפון, אז יחלו הימים להתקצר והלילות להאריך. ואלה הימים, שהם ימי הקיץ, חמים ויבשים. ובהיות השמש בנקודת המחברת השנית, אז ישתוה היום עם הלילה,

---

7. תנועה זו סיבתה היא תנועת הגלגל העליון: "בעבור שראינו בכל יום גלגל המזלות וגלגלי השבעה כוכבים הולכים ממזרח אל המערב הפך תנועתם, ידענו שיש כדמות גלגל עליון על כולם, שהכל יתנועעו בתנועתו" (הטעמים, נוסח ב, עמ' 2).

8. "שמות המזלות טלה, שור, תאומים, סרטן, אריה, בתולה, מאזנים, עקרב, קשת, גדי, דלי, דגים" (ראשית חכמה, שער א, עמ' 6).

9. "גלגל העליון שהוא מוליך כל הגלגלים הפך תנועתו ממזרח למערב בעשרים וארבע שעות" (פירוש שמות כ יד, עמ' קלט). שבעה המשרתים (כוכבי לכת) הם: "שבתאי, צדק, מאדים, חמה, נגה, כוכב, לבנה" (ראשית חכמה, שער א, עמ' 7).

10. "מהלך שניהם [השמש והירח] בראיות גמורות הוא ממערב למזרח, הפך התנועה העליונה" (פירוש שמות יב ב, עמ' ע).

11. "אין לשמש מרחב, ולא כן לכל המשרתים" (הטעמים, נוסח ב, עמ' 17).

12. לשון הפסוק "עד כל ימי הארץ זרע וקציר וקר וחם וקיץ וחרף ויום ולילה לא ישבתו", ופירש שם ראב"ע: "זרע וקציר – חלק השנה לשנים, ואחר כך לארבעה. קור כנגד החום, וקיץ כנגד החורף. והם כנגד ארבע תקופות בשנה". אולם חז"ל דרשו את הפסוק על שש תקופות: "רבן שמעון בן גמליאל משום רבי מאיר אומר, וכן היה רבי שמעון בן מנסיא אומר כדבריו, חצי תשרי מרחשון וחצי כסליו זרע, חצי כסליו טבת וחצי שבט חורף, חצי שבט אדר וחצי ניסן קור, חצי ניסן אייר וחצי סיון קציר, חצי סיון תמוז וחצי אב קיץ, חצי אב אלול וחצי תשרי חום" (בבא מציעא קו ב).

פתיחת האגרת

אין מחלוקת בין משכילי חקות השמים כי שתים עגולות גדולות הנה.[3] הן הן המסבות העליונות שמוצק האחת [כל אחת?] מוצק הארץ.[4] והן מתחברות בשתים נקודות,[5] ומשם מתפרדות עד נטות האחת לימין גם לשמאל כפי שתי חמישיות ששית הגלגל.[6]

---

3. הן קו המישור וקו המזלות. סדר הגלגלים הוא: ״ידוע כי שבעה מעונות למאורות והחמשה כוכבי לכת, והמעון השמיני גלגל המזלות ששם צבא הגדול, והתשיעי גלגל העליון ההולך ממזרח למערב״ (פירוש תהלים ח ד, לפי גרסת אוריאל סימון, שני פירושי רבי אברהם אבן עזרא לתרי עשר, עמ׳ 169–170, הערה 23).
4. ״מוצק גלגל המזלות הוא מוצק הארץ בעצמו, לא יוסיף ולא יגרע״ (העיבור, סוד בעיבור, דף י עמ׳ ב).
5. ״גלגל המזלות מתחבר עם הגלגל העליון בשנים מקומות, ושניהם יקראו ׳נקודת ההשתות׳״ (פירוש עמוס ה ח). בספר השם כתב: ״יתכן להיות ׳שמים׳ רמז לשתי נקודות מחברות השנים הגלגלים הגבוהים והם הנקראים ׳ראש התלי׳ ו׳זנבו׳״ (חלק א, סימן ד, עמ׳ 420).
6. כלומר, עשרים וארבעה מעלות: ״ארבעה ועשרים מעלות נוטה גלגל המזלות מגלגל המישור״ (פירוש דניאל ח ט). בספר העולם הביא חילוקי דעות: ״חכמי הודו אמרו שהוא [קשת נטיית השמש] כ״ד מעלות שלמות. ובטלמיוס אמר שהוא יותר מכ״ג מעלות ויותר מן מ״ה חלקים ופחות מן נ״א חלקים. והנה בטלמיוס לא יכול לדעת האמת. ואברכז אמר שהוא י״א חלקים משמנים ושלש בכל הגלגל, והנה הוא כ״ג נ״א. וחכמי ישמעאל דקדקו יותר מכולם והסכימה דעתם כי קשת הנטיה היא כ״ג ל״ה. חוץ מן יחיי בן אבו מנצור ואברהם אל זרקל שדקדקו יותר מכולם ואמרו כי הוא כ״ג ל״ג״ (עמ׳ 9).

ואדור נדר אם אתן שנת לעיני אחר צאת יום הקדש עד אכתוב אגרת
ארוכה לבאר מתי ראשית יום התורה, להרים מכשול ולהסיר פח ומוקש. כי
כל ישראל, הפרושים גם כל הצדוקים עמהם, יודעים כי לא נכתבה פרשת
בראשית, מעשה ה' בכל יום, רק בעבור שידעו שומרי התורה איך ישמרו השבת.
שישבתו כאשר שבת השם הנכבד, לספור ימי השבוע. והנה אם היה סוף יום
הששי בקר יום השביעי, היה לנו לשמור הלילה הבא. והנה זה הפירוש מתעה
כל ישראל, במזרח ובמערב, גם הקרובים גם הרחוקים, גם החיים גם המתים.
והמאמין בפירוש הקשה הזה ינקום ה' נקמת השבת ממנו. והקורא אותו בקול
גדול תדבק לשונו לחכו. גם הסופר הכותב אותו בפירוש התורה זרועו יבוש
תיבש ועין ימינו כהה תכהה.
וזאת היא תחלת האגרת:

העומד לנגדי: "מה פשעי ומה חטאתי? כי מהיום שידעתי את השם הנכבד אשר בראני, ולמדתי מצותיו, לעולם אהבתי את השבת. ובטרם בואה הייתי יוצא לקראתה בכל לב. גם הייתי בצאתה משלח אותה בשמחה ובשירים. ומי בכל עבדיה כמוני נאמן? ומדוע שלחה אלי זאת האגרת?" והיא זאת:

"אֲנִי שַׁבָּת, עֲטֶרֶת דָּת יְקָרִים, רְבִיעִית בַּעֲשֶׂרֶת הַדִּבְּרִים,
וּבֵין הַשֵּׁם וּבֵין בָּנָיו אֲנִי אוֹת בְּרִית עוֹלָם לְכָל דּוֹרוֹת וְדוֹרִים.
וּבִי כָּל מַעֲשָׂיו כִּלָּה אֱלֹהִים, וְכֵן כָּתוּב בְּרֵאשִׁית הַסְּפָרִים.
וְלֹא יָרַד בְּיוֹם שַׁבָּת אֲזַי מָן, לְמַעַן אֶהְיֶה מוֹפֵת לְהוֹרִים.
אֲנִי עֹנֶג לְחַיִּים עַל אֲדָמָה, וּמַרְגּוֹעַ לְעַם שֹׁכְנֵי קְבָרִים.
אֲנִי חֶדְוַת זְכָרִים גַּם נְקֵבוֹת, וְשָׂשִׂים בִּי זְקֵנִים עִם נְעָרִים.
וְלֹא יִתְאַבְּלוּ בִי הָאֲבֵלִים, וּבִי לֹא יִסְפְּדוּ עַל מוֹת יְשָׁרִים.
וְהַשֶּׁקֶט יִמְצְאוּ עֶבֶד וְאָמָה, וְהַגֵּרִים אֲשֶׁר הֵם בַּשְּׁעָרִים.
יְנוּחוּן כָּל בְּהֵמוֹת הֵן בְּיַד אִישׁ, כְּסוּסִים כַּחֲמוֹרִים כַּשְּׁוָרִים.
וְכָל מַשְׂכִּיל בְּיֵינוֹ הוּא מְקַדֵּשׁ, וְגַם מַבְדִּיל חֲשֵׁכִים כַּנְּזִירִים.
בְּכָל יוֹם יִמְצְאוּ שַׁעֲרֵי תְבוּנָה, בְּיוֹמִי נִפְתְּחוּ מֵאָה שְׁעָרִים.
מְכַבָּד מֵעֲשׂוֹת דֶּרֶךְ, וְכֵן מִן מְצֹא חֵפֶץ וְדַבֵּר כָּל דְּבָרִים.
שְׁמַרְתִּיךָ בְּכָל יָמִים, לְמַעַן שְׁמַרְתַּנִי מְאֹד מִימֵי נְעוּרִים.
בְּזִקְנָתְךָ שְׁגָגָה נִמְצְאָה בָךְ אֲשֶׁר הוּבְאוּ אֱלֵי בֵיתְךָ סְפָרִים,
וְשָׁם כָּתוּב לְחַלֵּל לֵיל שְׁבִיעִי. וְאֵיךְ תֶּחֱשֶׁה וְלֹא תִדּוֹר נְדָרִים,
לְחַבֵּר אִגְּרוֹת דֶּרֶךְ אֱמוּנָה וְתִשְׁלָחֵם אֱלֵי כָל הָעֲבָרִים".

ויען ויאמר אלי ציר השבת: "הגד הוגד לה אשר הביאו תלמידיך אתמול אל ביתך ספרים פירושי התורה, ושם כתוב לחלל את השבת. ואתה תאזור מתניך בעבור כבוד השבת להלחם מלחמת התורה עם אויבי השבת. ולא תשא פני איש".

ואיקץ, ותתפעם רוחי עלי, ונפשי נבהלה מאד. ואקום, וחמתי בערה בי. ואלבש בגדי וארחץ ידי, ואוציא חוצה הספרים אל אור הלבנה. והנה שם כתוב פירוש "ויהי ערב ויהי בקר" (בראשית א ה), והוא אומר: "כאשר היה בקר יום שני אז עלה יום אחד שלם, כי הלילה הולך אחר היום". וכמעט קט קרעתי בגדי, וגם קרעתי זה הפירוש, כי אמרתי: "טוב לחלל שבת אחת ולא יחללו ישראל שבתות הרבה, אם יראו זה הפירוש הרע. גם נהיה כלנו ללעג ולקלס בעיני הערלים". ואתאפק בעבור כבוד השבת.

הקדמת המחבר

ויהי בשנת ארבעת אלפים ותשע מאות ותשע עשרה בחצי ליל שבת בארבעה עשר יום לחדש טבת, ואני אברהם הספרדי, הנקרא "אבן עזרא",[1] הייתי בעיר אחת מערי האי הנקרא "קצה הארץ", שהוא בגבול השביעי מגבולות הארץ הנושבת.[2] ואני הייתי ישן ושנתי ערבה לי. ואראה בחלום והנה עומד לנגדי כמראה גבר ובידו אגרת חתומה. ויען ויאמר אלי: "קח זאת האגרת ששלחה אליך השבת". ואקוד ואשתחוה לה' ואברך את השם אשר נתנה לנו, אשר כבדני זה הכבוד. ואתפשנה בשתי ידי, וידי נטפו מר, ואקראנה ותהי בפי כדבש למתוק. אך בקראי הטורים האחרונים חם לבי בקרבי וכמעט יצאה נפשי. ואשאל את

1. השם "אבן עזרא" היה שם משפחת רבי אברהם ולא שם אביו. ראה בעלי התוספות שהביאו את שמו של רבי אברהם אבן עזרא (ראב"ע) כדוגמה על שם משפחה: "בחניכתו. פירוש כינוי שם משפחתו שם לוי...כגון רבי אברהם אבן עזרא שכל בני משפחתו היו נקראים כן" (תענית כ ב, ד"ה "בהכינתו").
2. "היישוב נחלק לשבעה חלקים [מדרום לצפון]" (פירוש קהלת א יב). ובספר כלי נחושת (שער א, עמ' י) כתב: "הישוב הוא בפאת צפון, והוא נחלק לשבעה חלקים, נקראים 'אופקים' או 'אקלימים'". רבי אברהם בר חייא הנשיא (ראב"ח) הוסיף: "האקלים השביעי מתחיל מתחום הששי והולך עד מ"ח מעלות וחצי מאופן המישור צפונה. ויומו הארוך ט"ז שעות ישרות, והקצור ח' שעות. והוא מתחיל בפאת מזרח מארצות תרכיים והאומות הנקראות אשקלבש, לכל שוכני בריטנייא רבה ובריטנייא זעירה, ושאר האיים אשר בים אוקינוס נכנסות בכלל האקלים הזה. וכל שוכני פאת צפון עד מרחב ס"ו מעלה נוספים הם אל תחום האקלים השביעי" (צורת הארץ, שער א, עמ' 42-43).

אגרת השבת

לרבי אברהם אבן עזרא

מוגה ומוסבר על ידי
מרדכי שאול גודמן

כתב